U0258421

14～18 岁在成人指导下阅读
18 岁以上自主阅读

大胆谈性，认真说爱

明明白白我的性

明白学堂——著

北京科学技术出版社

使用说明

❶ 扫描此二维码下载“CandyBook”APP。

iOS/Android

❷ 点击 APP 主页小照相机图标。扫描书中有 📱 的页面。

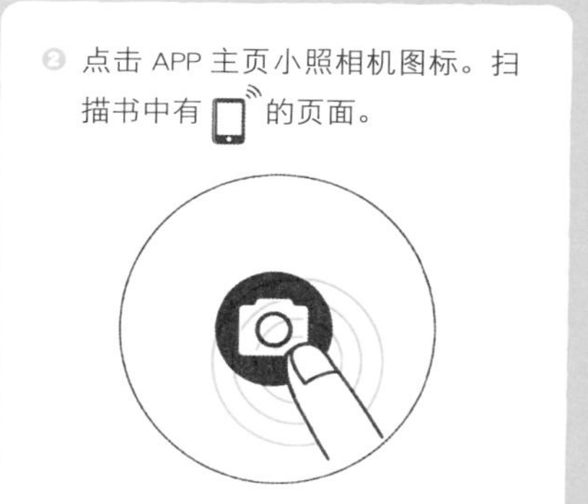

❸ 点击“使用”开始 AR 交互体验。

Adorable Book

使用

❹ 开始有趣的交互阅读吧。

※这是一本可以动起来的小萌书。扫描书中有“小手机”标志的页面即可进行有趣的交互阅读，找到书中没有的小秘密。

人物介绍

我叫王小明，是茫茫精子大军中的一员。
这两位分别是李小白和 Dr.G，
他们将和我一起，陪你看完这本书。
王小明
李小白
Dr.G

前言：性是大事情

以往大家都是在动画片中看到我、王小明和Dr.G的。今年夏天，我突然对影像和书籍有了哲学的思考——影像稍纵即逝、供人们茶余饭后消遣，而书籍才是人类永恒的精神食粮。于是，我们便萌生了为《明明白白我的性》出一本书的想法。

小时候，我常常会困惑：小孩子究竟是从哪儿来的？为什么作为女生的我没有小“丁丁”？青春期，我会思考人们为什么要做爱做的事？如果我长了“丁丁”，那我还是女生吗？我一边刻苦钻研，一边有点儿小罪恶感——受文化氛围影响，我们从小对性就有一种莫名其妙的厌恶，直到后来我加入了《明明白白我的性》这个创作团队，才得以如鱼得水、名正言顺地研究这件事情。

了解性是一个神奇的过程。其实性是一个很大的话题，并不只是做“羞羞的事情”那么简单，性是对医学、人性、平等、界限、权利、伦理等很多大事情的探讨。你会知道历史上很多科学家为了“爱爱事业”做过很多辛苦的努力，也会惊讶于不同国家、不同种族的人对于性有着那么多不同的看法。

对于性的探索也是我们对于自身的探索，关系到我们的健康：人乳头瘤病毒（HPV）和人类免疫缺陷病毒（HIV）长相很丑不说，它们可不是闹着玩的；关系到我们的自我认同：你到底是直还是弯啦，你觉得自己是女生还是男生呢；关系到我们的亲密关系。

这本书有着明白学堂一贯的“不冰冷说教，知识准确可靠”的激萌可爱风格，希望能够让大家对性有一个科学的基本知识储备，让大家在想要了解性的时候有一个渠道，而不是从“你懂得”的地方获得。最重要的，也是李小白最想呈现给读者的，就是正确的性观念——性既不肮脏，也不高尚，就像吃饭、睡觉一样，我们对“爱爱”的需求是一种本能，不要因此有负罪感。

这本书会让你对性有一个新的认识，成为一个知性、有内涵的明白人。

李小白

目录 contents

扫一扫

WOW SPERM
哇，精子
Lesson 1

精子是如何被发现的

在 1677 年的一天，一位名叫安东尼·列文虎克（Antoni Van Leeuwenhoek）的荷兰人和他老婆“爱爱”结束后，本来可以继续来个爱的抱抱什么的，但是他并没有这样做，而是在他老婆的体内收集了一些自己的精液。

原来这位老兄在帮英国皇家学会做一个实验。

他将精液放在显微镜载玻片上，调整反光镜。当他的眼睛对准目镜时，他成为了世界上观察到活的王小明的第一人。

认识精子从观察精液开始

精液和身体的其他排泄物，如尿液、大便、唾液等一样，都是人体生产出来的东西。一般情况下，男生是不会认真观察自己的精液的。

许多人会觉得精液和酸奶好像差不多，实际上相差很多。

酸奶 vs 精液

		酸奶		精液
外观		乳白色； 质地略浓稠		灰白色、**土黄色**； 新鲜精液和酸奶差不多，但会慢慢变成水的样子
气味		酸**酸**酸		精液有一种特殊的腥味。正常精液的气味是由一种被称为**精氨**的化学物质经过氧化后散发出来的
触感		摸起来有点儿涩， **不能拉丝**	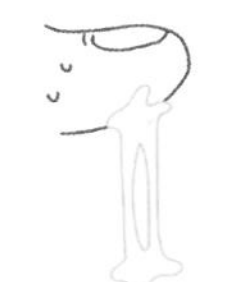	摸起来顺滑，**能够拉丝**，拉丝长度小于 2 厘米为正常
久置后		更加**浓稠**， 因为乳酸菌越来越多		黄绿色、乳白色、偏红色；久置后会**液化**

观察自己精液的好处

可以掌握自己精液的第一手资料

当自己的精子出现变化时，可以在第一时间发现。

和王小明保持良好的互助关系，最终成为朋友。

观察自己精子液化的时间

精液刚被射出时呈**胶冻状**。精液内有特殊的促凝固的蛋白质，牢牢地把精子和其他液体聚拢在一起，这样可以保证王小明们抱团作战，深入敌方内部！

同样，精液中还有些抗凝固和促溶解的蛋白质，在它们的作用下，一般在 20~30 分钟内精液会变回**水样液体**，精子们就纷纷解绑，自由奔向卵子喽。

精液这种从胶冻状到水样的变化过程被称为液化。通常，健康男生精液的液化时间不超过 60 分钟，否则就很不利于生育了。

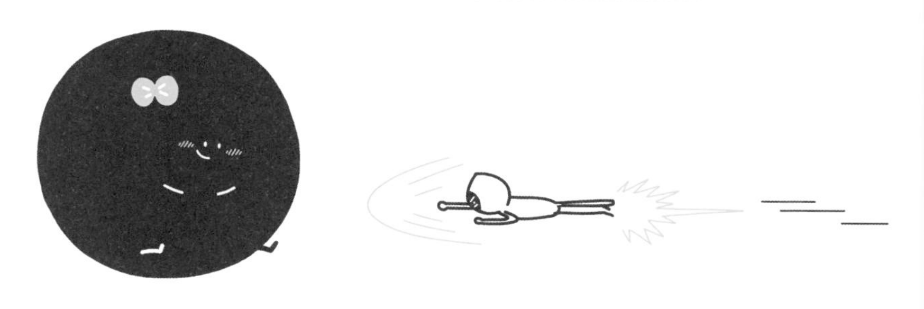

神奇的精子工厂

王小明作为人体的产物，诞生于人体的生精小管内。生精小管约占睾丸体积的 95%。成人的生精小管每条长 30~70 厘米，直径 150~250 微米，管壁厚 60~80 微米。

一个睾丸所有的生精小管连起来可绕地球多少圈呢？一圈也绕不了，只有 250 米。

生精小管生产一个王小明的时间是 60 天。但它是流水线作业，全年无休，所以王小明们能源源不断地被生产出来，取之不尽，用之不竭。

生精小管的工作量超级大。一名健康的精壮男子，每次射出的精液量，大概是 1 勺（1.2~7.6 毫升，中位数是 3.7 毫升）。

在这一勺精液中，生精小管至少要生产出 0.39 亿个精子，才能让精液合格。

电磁辐射、香烟、酒精等是导致精子变异的主要因素。

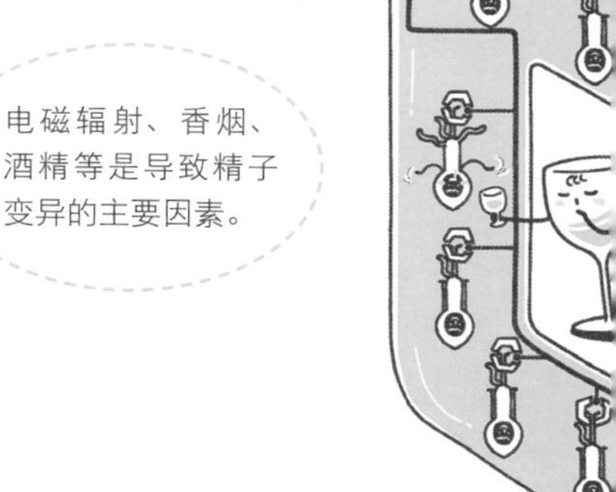

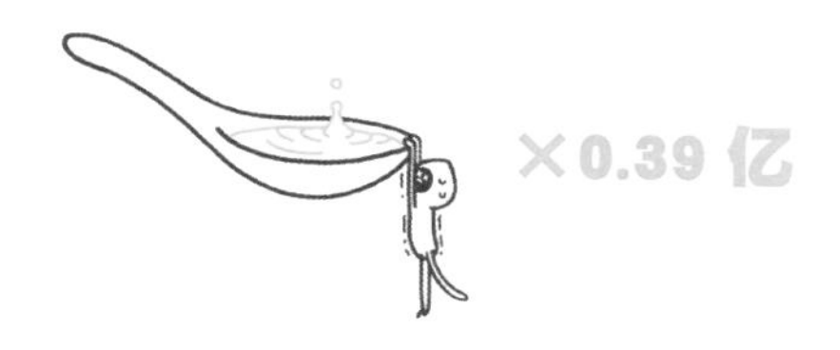

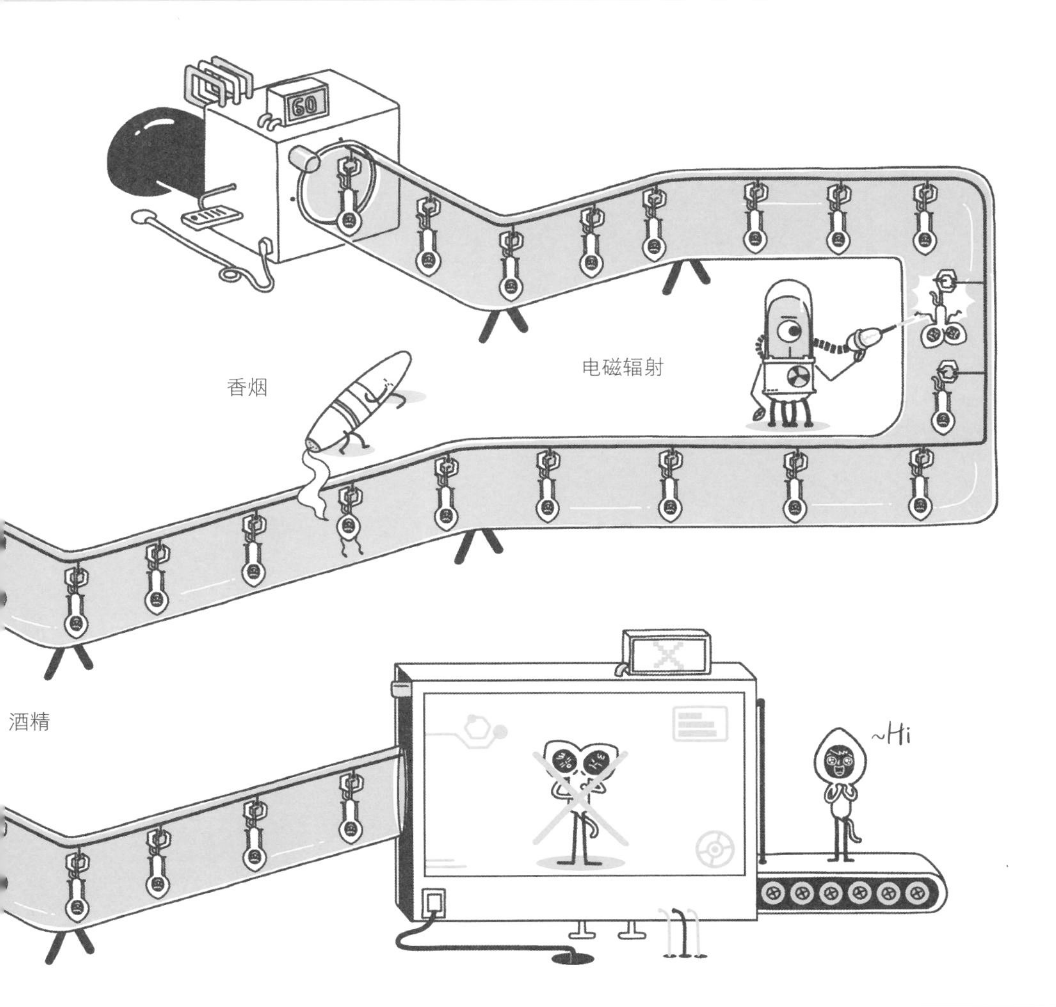
60
电磁辐射
香烟
酒精
~Hi

精子的活力等级

生精小管一直不辞辛劳地工作，没有工会为他争取什么零食呀、假期呀之类的福利。生精小管有时不太爽，它就自己偷懒，生产出质量参差不齐的王小明。

人们将生精小管生产出来的精子，按照**活跃程度**分为四个等级。

Ⅰ　勇士型

这类精子活动性最强，速度最快，游动轨迹基本呈直线。

Ⅱ 文艺型

这类精子活动性也很强，不过行进轨迹飘逸，通常呈曲线。

Ⅲ 装腔型

这类精子虽然尾部摆得很欢，可是基本不向前游动。

Ⅳ 慵懒型

这类精子尾巴都懒得摆，更别说往前游了。

合格标准

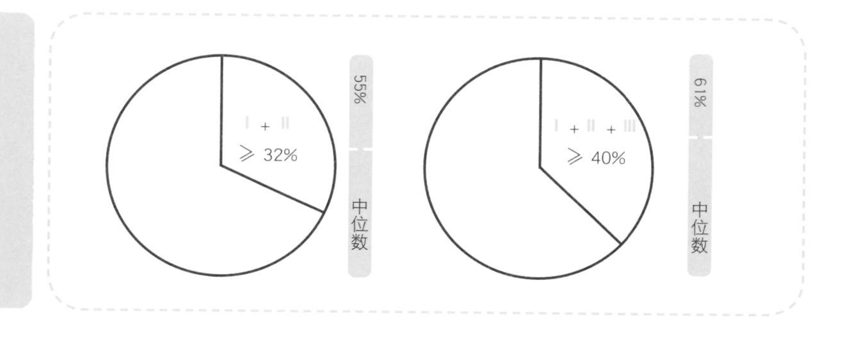

精子的结构

在精子界，要想做一个安静低调的美精子是一件非常困难的事。

事实上，长得非常标致、头是头尾是尾的精子只是少数。一般来说，根据 Tygerberg 严格精子形态学标准方法判断，在显微镜下，正常形态的精子只要占总量的 4% 以上就算合格。

◆ 高颜值的完美精子

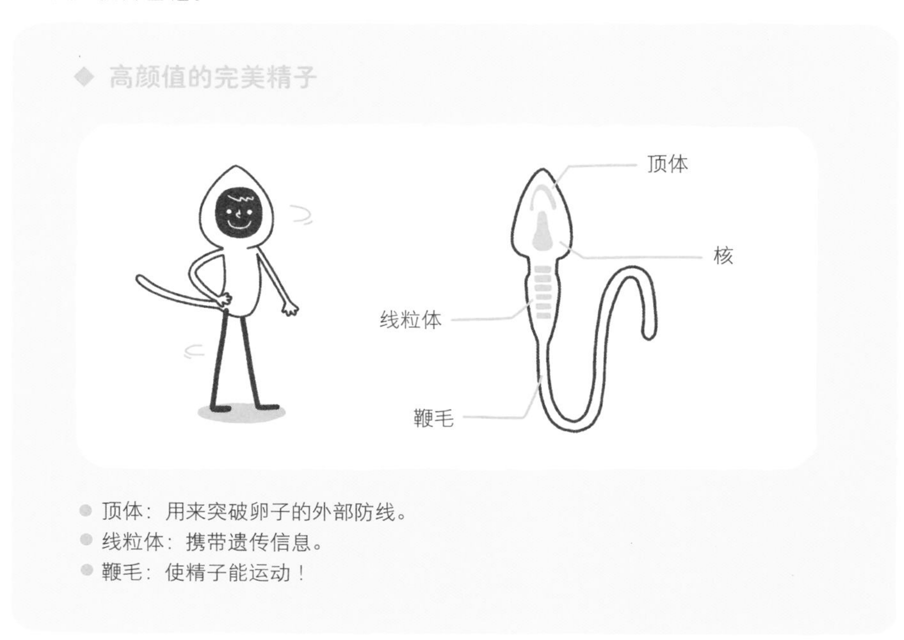

- 顶体：用来突破卵子的外部防线。
- 线粒体：携带遗传信息。
- 鞭毛：使精子能运动！

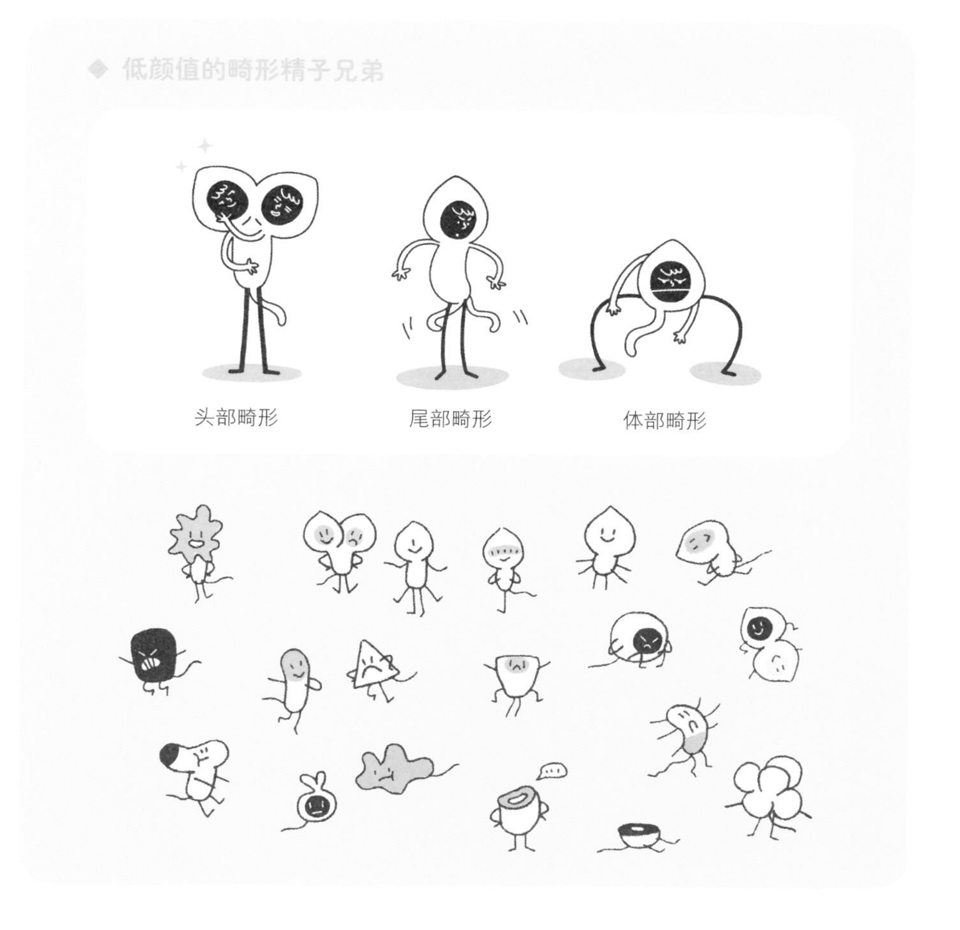
◆ 低颜值的畸形精子兄弟
头部畸形
尾部畸形
体部畸形

精液你不懂

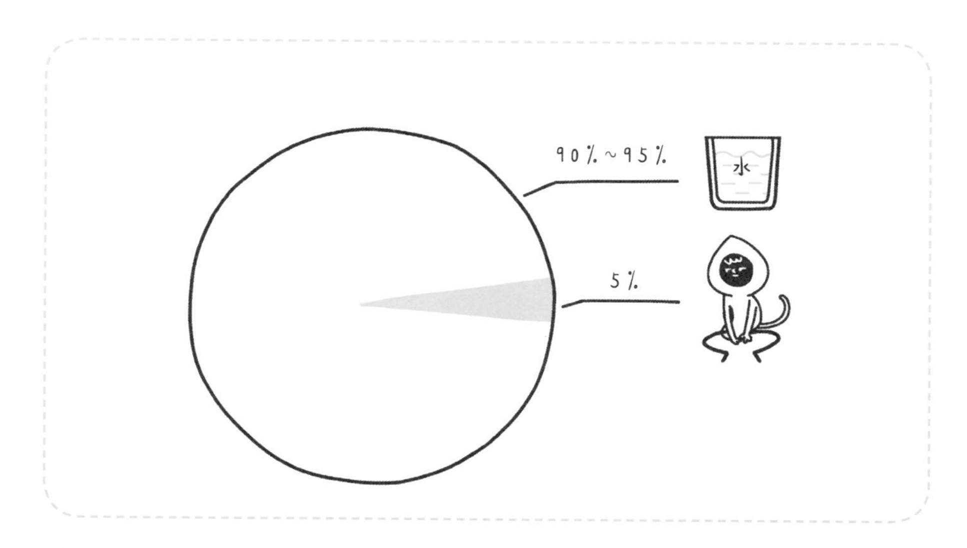

输精管结扎后，是不是就射不出精液了？

结扎后，精液的其他成分主要由前列腺和精囊腺产生，这时产生的精液主要成分是水，占 90%～95%，精子只占 5%左右。所以即使结扎了，也可以射出精液，只是精液中不再有大量的精子。

真的是一滴精十滴血吗？为什么射完之后特别累？

就成分而言，一滴精最多相当于一滴血。射精之后之所以会有疲乏劳累感，主要还是因为射精前（无论是 DIY 还是互助）机体交感神经处于高度兴奋状态，全身肌肉收缩导致能量消耗。

此外，射精前后体内还有其他激素释放（例如泌乳素、催产素、血管加压素、5-羟色胺），这些激素能对人体本身造成一定的放松感和疲劳感。

因此，这些疲乏困倦劳累感与精液本身的损耗是无关的。单从体液丢失的角度来说，一次射精的损耗，和吐一口口水没太大差别。

精液能美容养颜吗?

精液，无论外敷还是内服，都没有美容养颜的效果。

如果拿来外敷，精液和其他液体（甚至自来水）并无区别，最多起到一点儿湿润的作用。但一方面量不足，另一方面气味实在不好，并不推荐。

如果拿来内服，精液一定会被胃肠道消化液灭得渣都不剩，更不用说作用于皮肤起到美容效果了。

可乐真的杀精吗？

目前还没有明确的科学证据证明咖啡、可乐、茶等含有咖啡因的饮料有杀精作用，不过也有研究认为，大量饮用咖啡（大于 800 毫克咖啡因）或可乐（每天超过 1000 毫升）可导致精子数量降低，但降低后的精子数量仍在世界卫生组织（WHO）所认为的正常范围内。因此，适当饮用可乐并不杀精。

精子能活几天？

精子的存活时间取决于环境（温度、湿度）。

如果是在吸水环境下（如在纸巾、毛巾、床单上），精子的存活时间可能只有几分钟。

几分钟

如果是在普通环境下（如在桌面、杯子、墙壁上），精子差不多能活几小时（取决于精浆的蒸发速度）。

几小时

在干燥环境下，精子的存活依赖于精浆（精子所处的液体环境），一旦脱离了精浆的滋润，精子很快就会死掉。

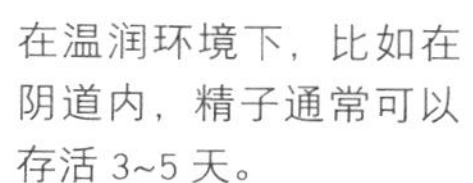

在温润环境下，比如在阴道内，精子通常可以存活 3~5 天。

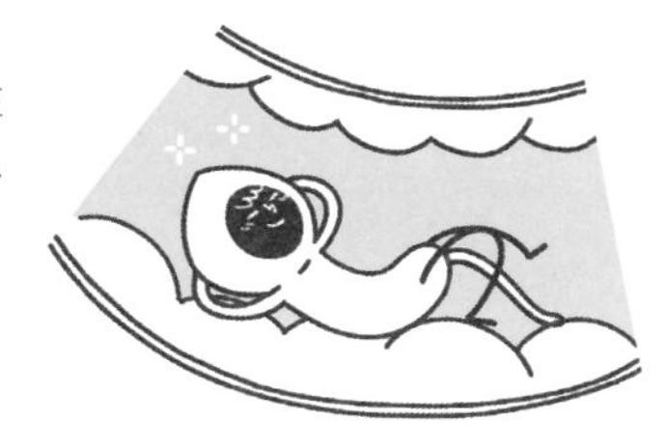

3~5天

还有一些特殊情况，比如冷冻环境（精液捐献中心）下，精子一般可以存活几年。

几年

嘿嘿嘿
老王，你可以呀。
精量查询机
85%
53%
21%

Zzz
检测中
检测中

扫一扫

TESTICLE'S STORY
“蛋蛋”的故事
Lesson 2

大家来猜个谜语：
什么东西形状是椭圆的，上面有毛，里面装满了乳——白色的液体？

我知道，
我知道！
是蛋……

别想歪了！
是椰子！

“蛋蛋”的大小

因为人类男性**睾丸**呈微扁的椭圆形，形状大小都类似鸡蛋，所以我们会亲切地叫它“蛋蛋”。

它们天生一对，被包裹在像面筋一样的**阴囊**里。

一般成人的睾丸长3.5~6厘米，宽2.3~4厘米，厚2~2.8厘米，每侧睾丸重16~67克。

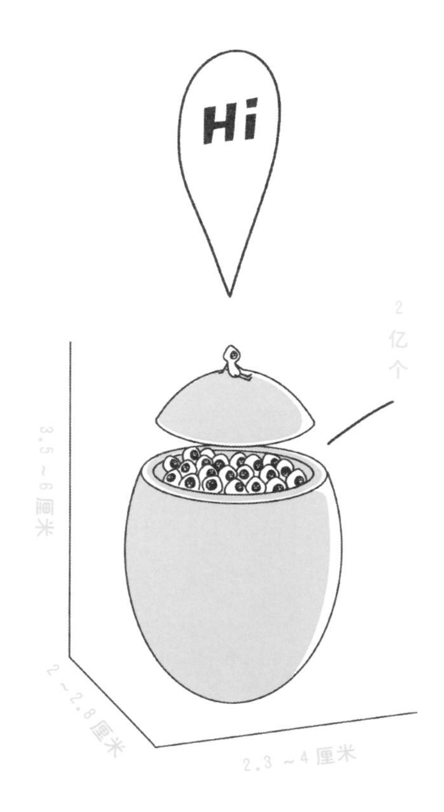

“蛋蛋”的大小并不影响它的功能。

江湖传闻*，男生可以用“OK 手势”检查“蛋蛋”是否正常。

* 江湖传闻，真的就只是传闻喽！

“蛋蛋”其实和“丁丁”一样，都不是越大越好，只要管用就行。

如果**很松**或者**根本就塞不进去**，那就需要当心了。然而，我们对这种说法的正确性并不负责，因为，**医学上没有这种检测方法。**

“蛋蛋”的颜色与触感

正常“蛋蛋”呈灰白色，跟鸡肉的颜色差不多，摸起来软软的、滑滑的。

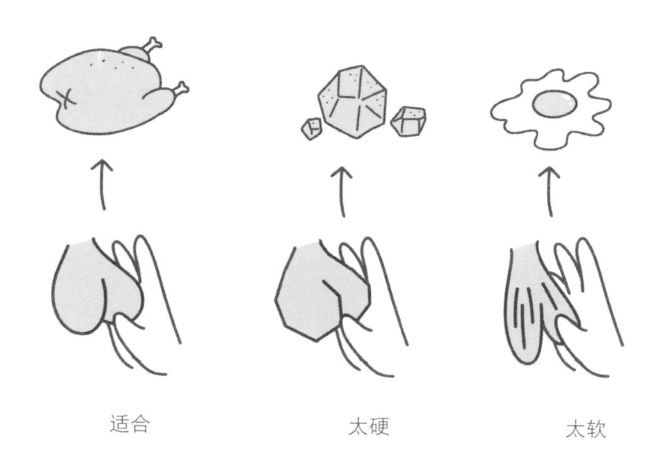

正常人的阴囊内有且只有两个“蛋蛋”。假如少了或多了一个，请不要藏着掖着，有可能是隐睾症或多睾症，应该去看医生。

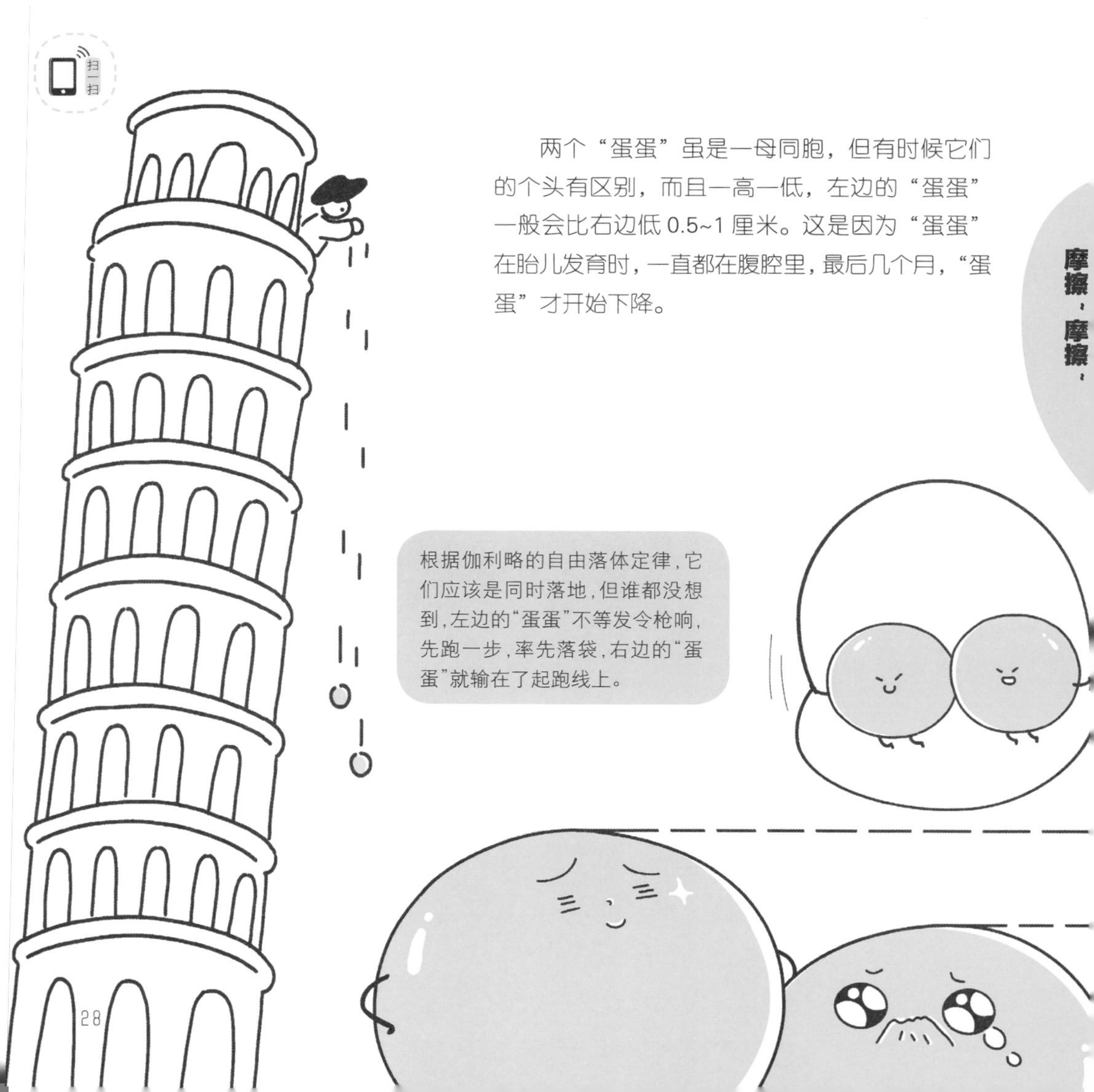

两个“蛋蛋”虽是一母同胞，但有时候它们的个头有区别，而且一高一低，左边的“蛋蛋”一般会比右边低 0.5~1 厘米。这是因为“蛋蛋”在胎儿发育时，一直都在腹腔里，最后几个月，“蛋蛋”才开始下降。

根据伽利略的自由落体定律，它们应该是同时落地，但谁都没想到，左边的“蛋蛋”不等发令枪响，先跑一步，率先落袋，右边的“蛋蛋”就输在了起跑线上。

但这一高一低的长法，却带来了令人意想不到的好处。因为这样不但可以节省空间，还能防止两个“蛋蛋”在运动时撞在一起。

你可以想象，假如两个“蛋蛋”一样高，我们跑起来的时候是不是——音乐响起来——**摩擦！摩擦！摩擦摩擦！**

是爪牙，是魔鬼的步伐

作为细心观察生活的艺术家，米开朗基罗先生很早就看穿了一切。

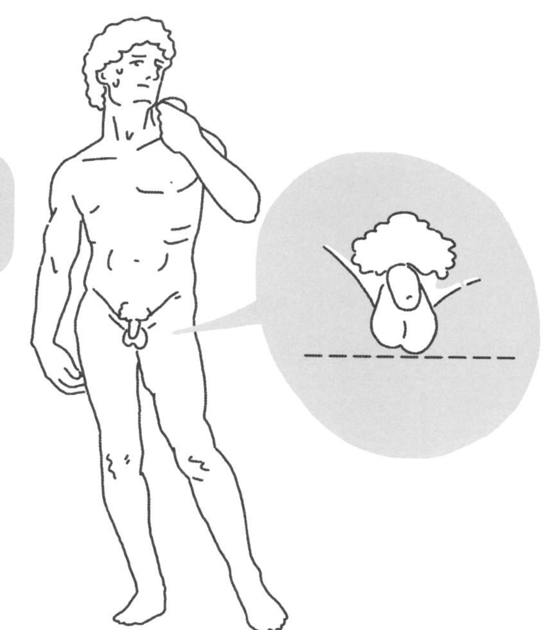

0.5 厘米

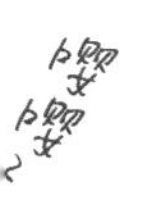

“蛋蛋”的功能

“蛋蛋”虽然长得又黑又皱，但却是个实干家。

“蛋蛋”主要由生精小管构成，占其体积的95%。这些生精小管每天要产生1.44亿个王小明，并且全年无休。

除了生产王小明，“蛋蛋”还能让男人变得更man。它分泌的**睾丸激素**——雄性激素，会影响男人的肌肉发育和毛发生长。

太监为什么不长胡子？就是因为没了“蛋蛋”！

因为常年干这种累活，再加上阴囊无皮下脂肪且汗腺丰富，所以“蛋蛋”很容易“出汗”。“蛋蛋”会变得非常有黏性，甚至会粘住大腿。

假如你看到一个家伙站在那里，彷徨无助地在做劈腿动作，那他八成就是被自己的“蛋蛋”给粘住了。

呃
粘住了……
粘得好紧
好烦

“蛋蛋”的温度

因为让精子最舒适的温度是 35℃，而人体正常体温是 36.5℃，所以“蛋蛋”只好被设计挂在体外了。

35℃

当每个男生还是胎儿的时候，睾丸其实被藏在肚子里面。

随着胚胎逐渐发育，睾丸才逐渐下降，最终落到阴囊里。如果超过1岁，阴囊里还是少个“蛋蛋”，就需要看医生了！

“蛋蛋”是王小明的家，为了保证王小明的成长发育，“蛋蛋”自己有一套中央空调——**“温度调控系统”**。

当外界温度低于体温时，阴囊紧缩，使“蛋蛋”可以通过靠近身体来取暖。

当外界温度高于体温时，阴囊松弛，增加散热面积，使“蛋蛋”更凉快一点儿。

由于王小明对温度特别敏感（是精子怕热，而不是“蛋蛋”怕热），一热就不想动（活动减少），甚至不愿意长身体（发育停止），所以紧身裤和桑拿房一直都是王小明的死敌。甚至长期将笔记本放在大腿上，也有可能提高“蛋蛋”的温度，从而不适宜王小明生长。

“蛋疼”到底有多疼

从态度和能力上来说，“蛋蛋”无疑是优秀的。但它为了做到精细监控，也付出了很大的代价：

神经分布密集，敏感度也很高。

这就让“蛋蛋”对疼痛极其敏感。所以女子防身术将“踢胯”列为绝招，只要给“蛋蛋”来上一脚，那酸爽！

但医学上，并没有描述“蛋疼”程度的标准，那种类似“蛋疼像折了多少根肋骨”的说法完全是标准的朋友圈伪科学。

疼痛评分属于主观评分，并没有办法用客观标准量化。同样是被针扎一下，有些人可能疼到哭，而有些人觉得屁事没有。

！踢“蛋蛋”是危险动作，切勿模仿。

“蛋蛋”健康自查

时间

在 14~15 周岁，也就是青春期开始之后就应该进行定期检查。这样能让你对自己的“小哥们”有足够的了解，让你能够敏锐地捕捉到其在发育过程中的变化。

方法

轻下手，细观察。用手指轻揉睾丸，仔细观察并感觉有无肿块或硬度异常。力度不能太大，否则那就是“多么痛的领悟”了。

频率

约每月检查一次。不要几年不理它们一次，也不要成天拿在手上玩儿。

这个垫真好用。
是啊～
『蛋蛋』恒温垫

扫一扫

GROWTH OF PENIS
“丁丁”成长记
Lesson 3

认识自己的“小兄弟”

“丁丁”是男孩子出生后的第一件玩具，还是自带的。

其实在胚胎发育初期，胎儿是没有性别之分的。每个娃娃的那个三角区里，只有一个小小的芽状组织（生殖结节，类似于阴蒂）。

在第七周的时候，受染色体的影响，有的结节打开，形成两片阴唇和一个阴蒂；有的就闭合，成为一个阴茎和两个睾丸，这才有了男女之分。所以，每一只小“丁丁”的前世都是小阴蒂。

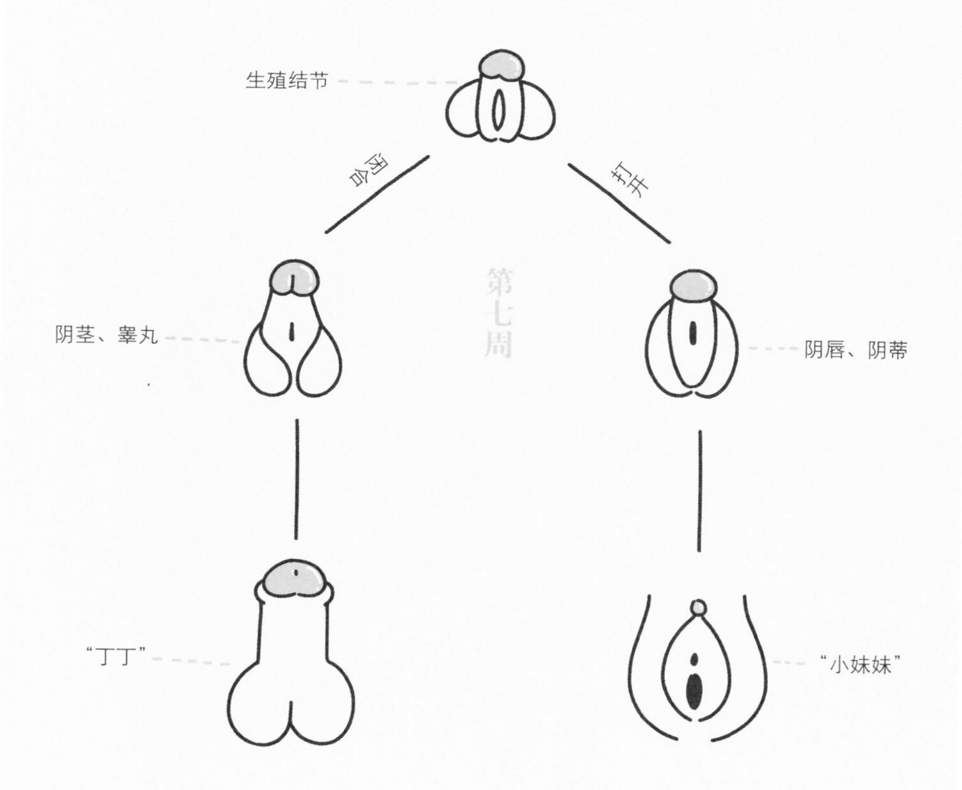
生殖结节
闭合
打开
第七周
阴茎、睾丸
阴唇、阴蒂
“丁丁”
“小妹妹”

“丁丁”由阴茎头、阴茎体和阴茎根三个部分构成。

阴茎头也就是俗称的龟头，位于阴茎前端，是精液和尿液的出口。

中部是阴茎体，呈圆柱形，悬挂在耻骨联合的前下方。

而阴茎根则是看不到的，它藏在身体里，有一定的长度。当然，阴茎根的长度是不能算入“丁丁”长度的！

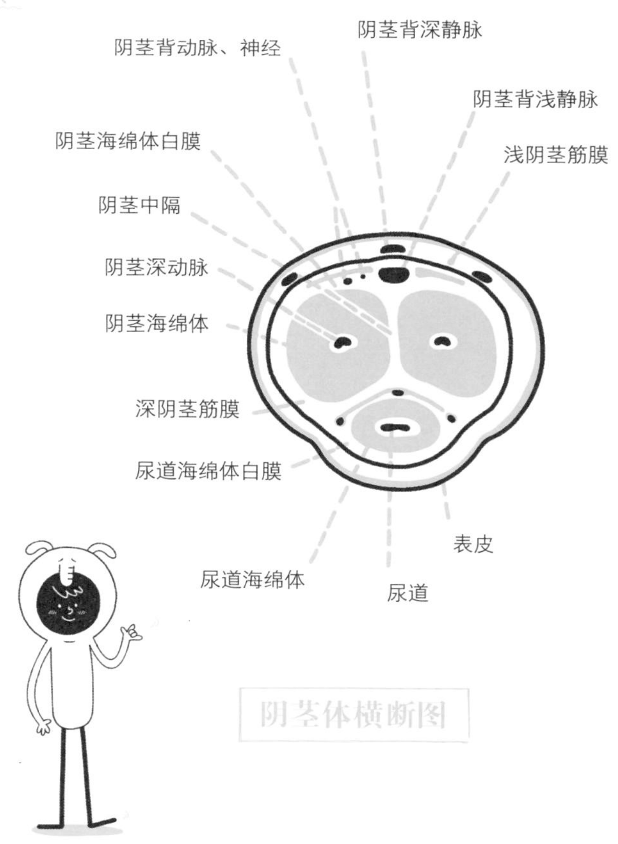

阴茎体横断图

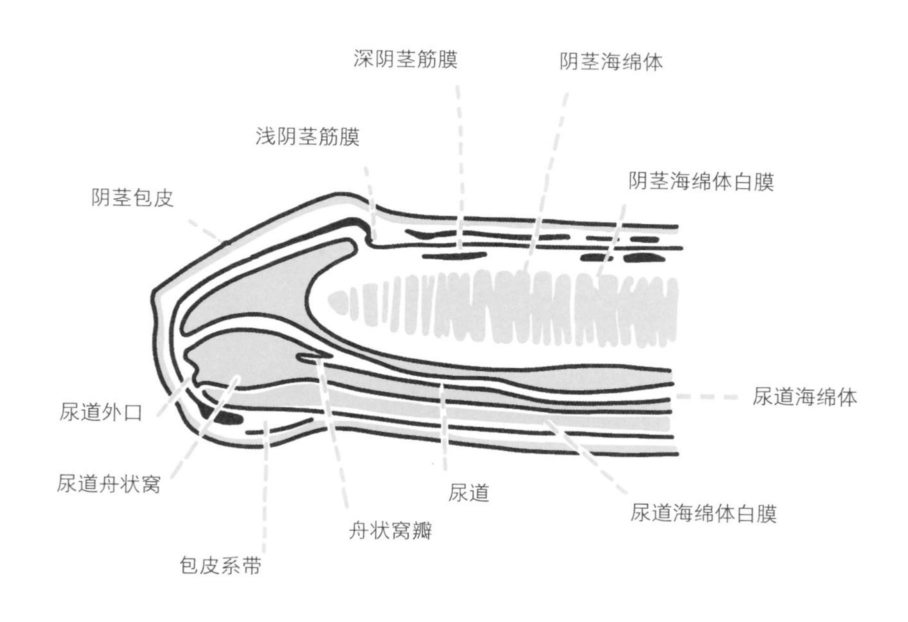
深阴茎筋膜
阴茎海绵体
浅阴茎筋膜
阴茎海绵体白膜
阴茎包皮
尿道海绵体
尿道外口
尿道舟状窝
尿道
尿道海绵体白膜
舟状窝瓣
包皮系带

阴茎正中矢状图

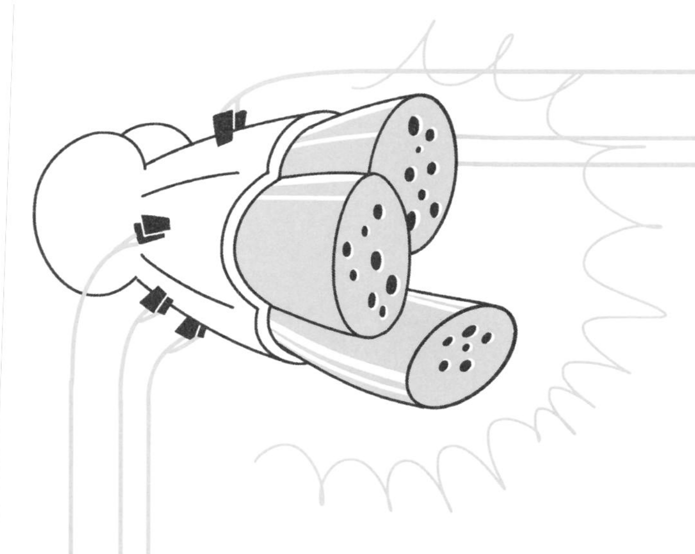

“丁丁”的内部构造很简单，它主要是由三根柱状海绵体组成，其中一根有尿道通过。

可别小看了这三根海绵体，当王小明的主人王大明受了刺激时，大脑会发出信号，让身体的一部分血液在海绵体中集合，让它们不停地**变大**、**变大**……所以，勃起的本质就是海绵体充血膨胀，跟我们给车胎打气是一个原理！

如果“丁丁”一直这么大下去，是不是就有爆炸的可能啦？不必担心，在每根海绵体的周围都包围着一层**白膜**。白膜虽然不是骨头，但异常坚韧，就如篮球或者车胎外面的胶皮，它紧紧包围着海绵体，一方面有效地防止“屌爆了”，另一方面还能保证“丁丁”的硬度。这与篮球和车胎被打足气会变硬是一个道理。

当然，不要以为有了白膜的保护，你就可以肆无忌惮地虐待“丁丁”了！在美国，每年超过 200 人玩儿坏自己的“丁丁”。撸坏的、摔坏的、插坏的、烫坏的，花样、玩儿法层出不穷。

“丁丁”外面包裹着一层软软的皮肤，这就是**包皮**了。在儿童时期，包皮会将龟头紧紧覆盖。包皮是“丁丁”的外衣，起保护作用，但是也容易藏污纳垢、滋生细菌。因此，清洗的时候，要注意翻开包皮，洗净包皮垢。

如果青春期后，勃起时包皮还讨厌地裹住整个龟头的话，那就是包皮过长了。如果动手也翻不开，就是**包茎**。

包茎是病，有这种症状的小伙伴们，还是偷偷去趟医院割一刀吧。

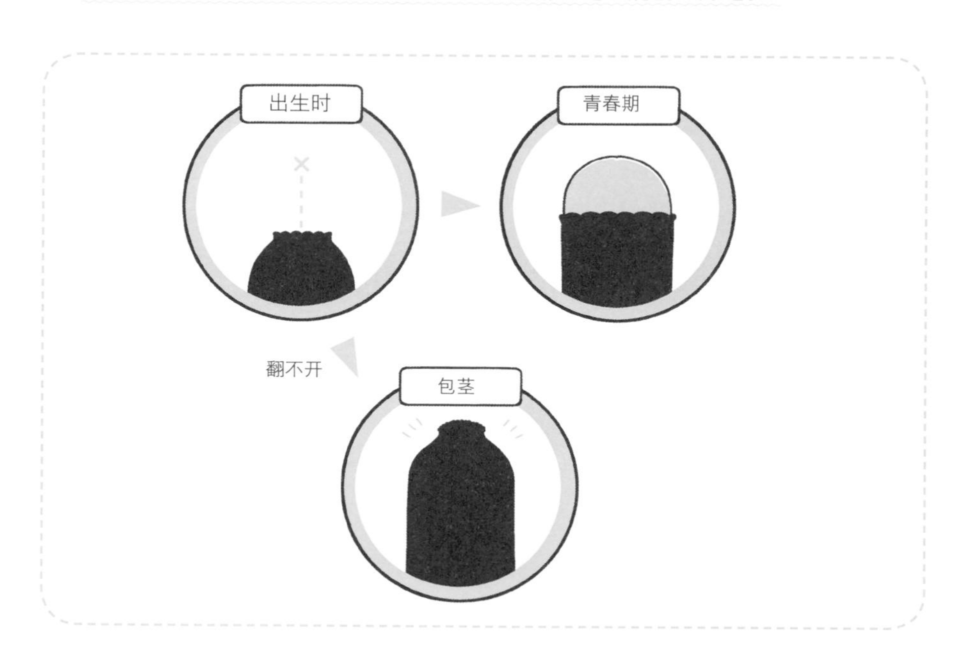

王小明，你在干什么呢？快点儿出来啊！

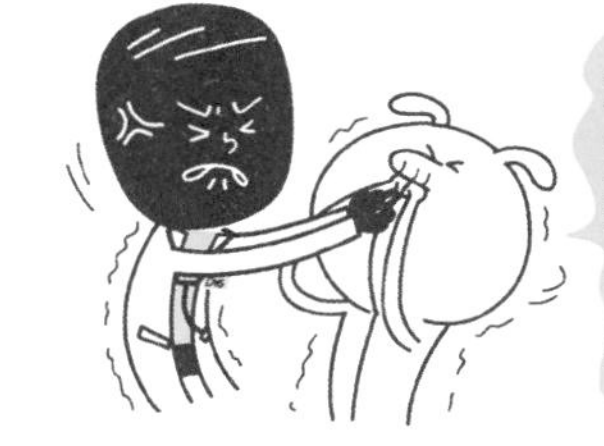
哎呦喂，怎么拉不下来？

让Dr.G来帮帮你吧！『咔嚓』一下就好啦！

小“丁丁”没有骨折一说，但用力太猛加方向不对，很容易造成白膜撕裂。

最悲剧的是一位在睡梦中勃起摔下床的兄弟，好好地睡个觉……招谁惹谁了。

睡梦中勃起真的不一定是做了春梦，或者被太阳晒了屁股。因为控制“丁丁”勃起的是大脑，而到了晚上，大脑也要休息，“丁丁”没人管了，就肆无忌惮地随意撒野了。

要知道，“丁丁”一天平均要勃起 11 次，而且大部分在夜间。晚上睡觉不老实的同学，可千万别中招了。

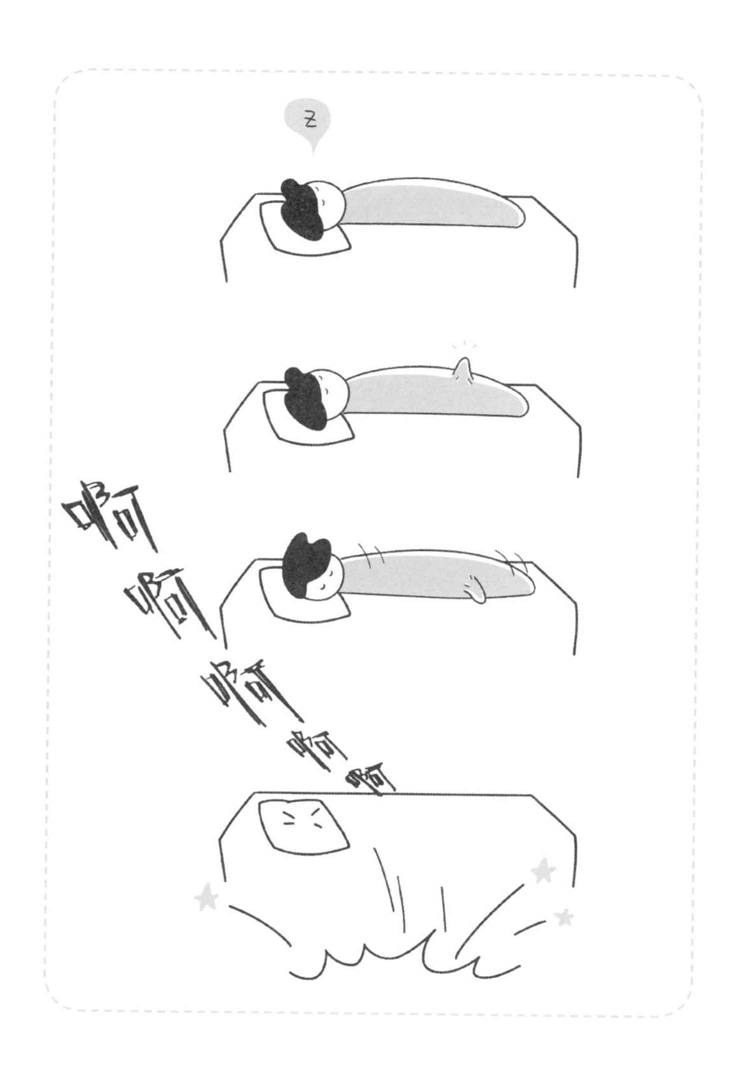
z
啊
啊
啊
啊
啊

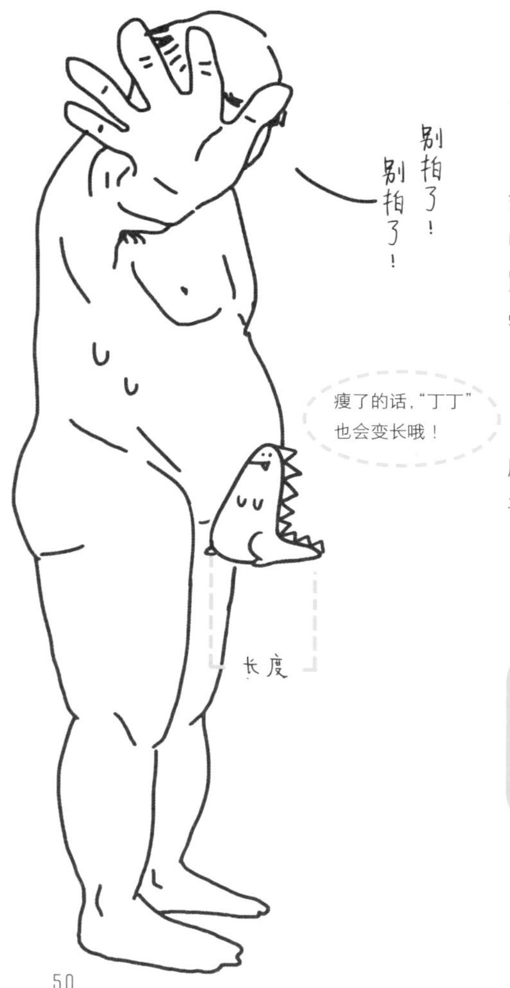

“丁丁”别攀比

受一些个不良小电影的影响，男同学们经常会产生自卑心理。但“驴儿大的行货”极其稀有，电影里那些“丁丁”都是从几万根中海选出来的，跟他们比那是自找没趣。而且，从抽样和概率学上来说，

“根硕”不是天赋异禀，而是畸形。

根据调查，中国男性阴茎勃起后的平均长度为 10.89 厘米，这种长度只要不拿出来攀比，干什么都够了。

测量“丁丁”长度的方法：在勃起状态下，让“丁丁”与身体成 90°，用尺子平行抵住“丁丁”根部上方耻骨端，然后读出从耻骨端到“丁丁”头部前端的距离。

有些观点认为不管是人还是动物，体重越大，“丁丁”就越长。比如大象是陆地上最大的动物，其中非洲象的勃起长度可达 2 米，能捅穿一只成年狮子。

但这其实也是个误区，一头体重 150 千克的驴，“丁丁”长度可达 60 厘米；而成年大猩猩的体重可以高达 200 千克，但它的“丁丁”却只有可怜的 4 厘米。

至于“丁丁”勃起时的形状，同样是“米养百样人”，弯的直的都有。

勃起后，“丁丁”会和身体形成一定角度。有些人“丁丁”勃起后能够贴着肚子（冲着头侧），有些人则可能靠着大腿（冲着足侧），而大部分人“丁丁”勃起后，会更倾向头侧，自然上翘一些。

不过无论什么情况，只要不疼痛，没有硬结，不影响“爱爱”，都是正常的。

越来越多的性学专家认为，稍弯一点儿的“丁丁”，能给女性带来更多的刺激。

尽管如此……

我们还是强烈建议：**不要人为掰弯！**

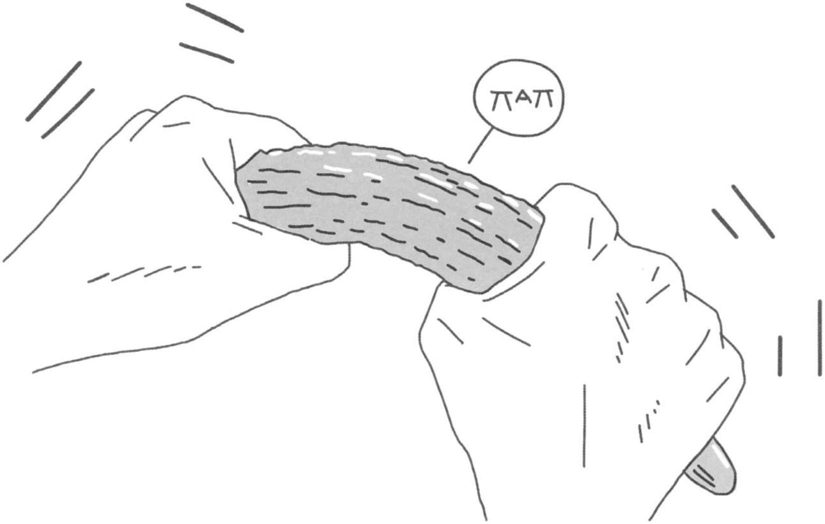

"丁丁"的硬度和形状

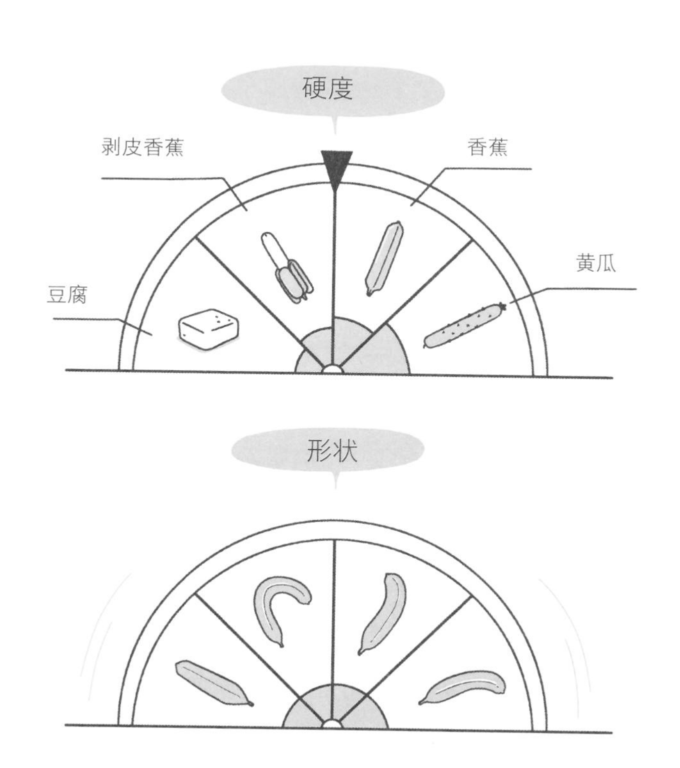

“丁丁”关爱条例

注意卫生

不要把“丁丁”放进一些乱七八糟的地方，使用前后都要注意清洁。

不是所有的洞都可以进的。

常备套套

无论是为了避孕，还是为了双方的健康、预防性病，套套都是最好的选择。

超薄总比超生好，戴套套还能防病。

避免暴力伤害

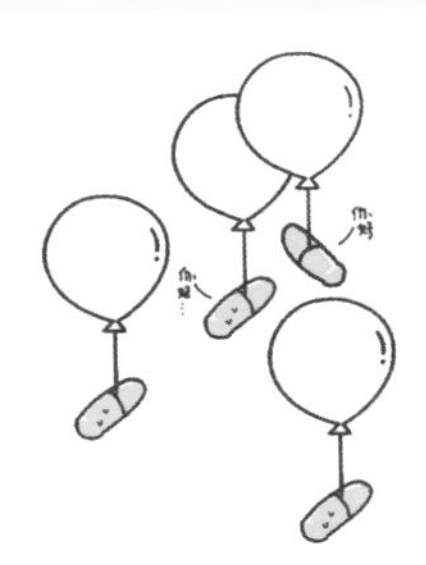

“丁丁”被老婆割掉的案例全球都有，而泰国是重灾区。从 2000 年开始，泰国警方每年都会受理超过 100 起此类案件。有的女人将丈夫的“丁丁”切吧切吧喂牲口，有的将“丁丁”系在气球上放飞了。

去泰国要注意！

慎用药物

千万别信“某度”上面的小广告，没有什么药物能让“丁丁”增粗变长，也没有药物能提升性欲，就算是大名鼎鼎的伟哥，也只不过是让“丁丁”延长充血勃起的性爱时间而已。

伟哥虽好，可不要贪吃哦！

“丁丁”最长的种族

网传非洲象人族的男性拥有世界上最长的“丁丁”，它们在疲软状态下的长度近 34 厘米。“丁丁”太长也给他们的生活造成了极大的困扰。为此，他们不得不制作一个专门的套子，将“丁丁”装入，然后绑在腹部。

可考证的最长“丁丁”

美国纽约的 Jonah Falcon 先生，拥有世界上最长的“丁丁”，疲软时长约 34.3 厘米。世界上最小的腰围不过 33 厘米，也就是说，要是这位仁兄的腰足够细，他完全可以把“丁丁”当腰带。

现代人给“丁丁”取了不少外号，其中“鸡鸡”和“小鸟”，是知名度最高的两个。

然而，大部分鸟类是没有“小鸟”的，而鸡也都是没有“鸡鸡”的。

生殖崇拜在各国文化中都不罕见，至今日本还有和生殖崇拜有关的庙宇**四百多座**。

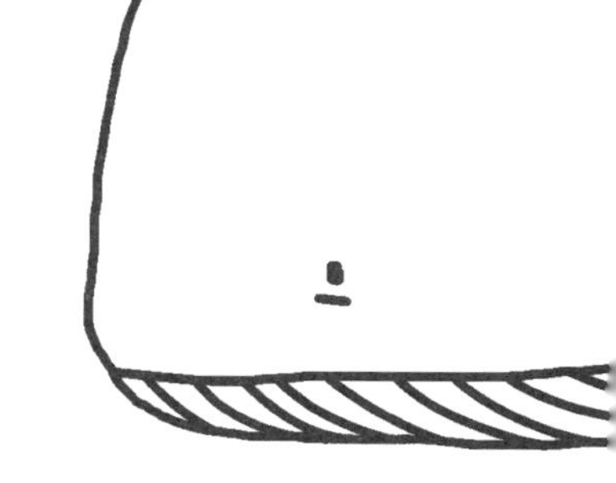

为何会产生这种崇拜？

在人类社会的早期，人口数量是生存的重要因素，人多力量大嘛；而因为战乱、瘟疫等原因，男丁更是稀少，所以人们就把生育繁殖的希望，寄托在男性生殖器上了。

非洲和南美洲的很多国家，还有亚洲的叙利亚、印度等国，都依然存在着生殖崇拜的习俗。

除此之外，如果你留意过我国古代的墓碑，会发现它长得也像“丁丁”，因为这也是男根文化的一种。

蓝鲸是当今世界上最大的动物，它的“丁丁”长度可达 2.4~3 米，占到其身长的十分之一。它的“丁丁”完全勃起的时候，比一颗大型鱼雷还要大。而它每次射出的精液量高达 1500 多升，能装满一个 1 立方米的玻璃箱。

扫一扫

MYSTERIOUS SISTER
神秘的
“小妹妹”
Lesson 4

“小妹妹”不简单

如果把“丁丁”比作钥匙，那么“小妹妹”就是一把锁，而且是一把精美绝伦的锁。她造型精美，深藏不露，做工考究。

从功能上来说，她能把只会“吐口水”的“丁丁”甩开几条街了。

在见到实物之前，很多男生都想当然地以为，女生的“小妹妹”就是一个洞而已。对于这种单纯的想法，我们只能说“少年，你真是太天真啦”。

从生理学、物理学、数学、设计学等一系列高大上的学科来讲，“小妹妹”都比“丁丁”要复杂得多。

“小妹妹”的结构很复杂，男生们想象的那个洞只不过是她的冰山一角而已。

『小妹妹』不简单

“小妹妹”的结构

“小妹妹”分为外阴和内阴两个部分。外阴就是“小妹妹”的外露部分。它主要由阴阜、大阴唇、小阴唇、阴蒂、阴道前庭、尿道口、阴道口和处女膜组成。

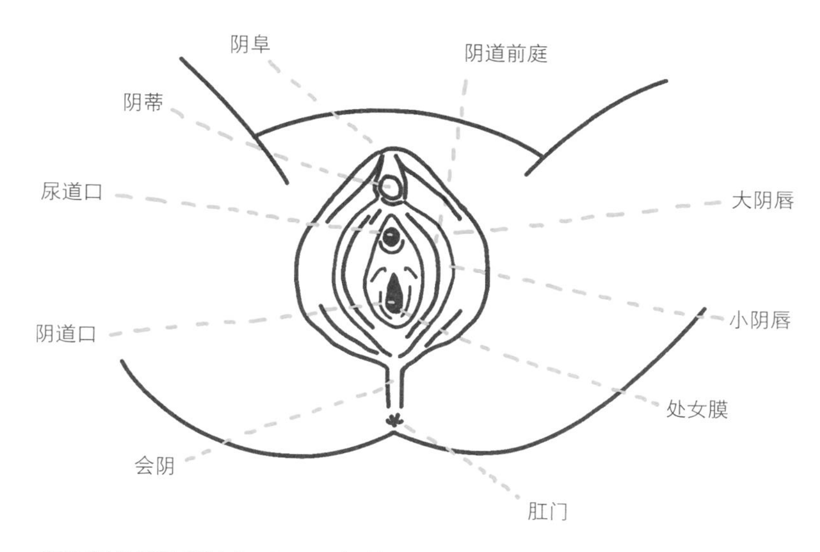

有少部分愣头愣脑的“丁丁”在碰到“小妹妹”时太过兴奋，经常搞不清楚往哪里钻。这是因为“丁丁”前端只有一个孔，而“小妹妹”有两个口：一个是尿道口，位于阴道前庭上部；一个是阴道口，位于尿道口下方。

阴阜

男生女生都有阴阜。阴阜位于外生殖器上方，是一块用于缓冲的脂肪垫，上面一般会长有阴毛。抚摸阴阜或轻轻揉捏，可以起到性刺激的作用。

受激素的影响，男生的阴毛分布呈菱形，女生呈倒三角形。一些女生为了使“小妹妹”更加漂亮，会剃掉阴毛。这种事呢，谁也不好干涉，只要你能受得了那如雨后春笋般长出的毛茬茬就行了。

大小阴唇

为了防止细菌进入内阴，大阴唇和小阴唇充当了保护伞的角色。其中小阴唇更加卖力，一人分饰两角，除了保护内阴，它在性兴奋时还会充血、肿胀，延长阴道长度。

青春期后，由于激素的作用大小阴唇的外侧皮肤颜色看起来比较深。

别再被什么黑木耳的传闻吓到啦！

处女膜知多少

阴道口由一个不完全封闭的黏膜遮盖，这个黏膜就是大家十分关心的处女膜了。

处女膜其实真的就只是一层黏膜，它形状各异，有烧饼形的，有月牙形的……

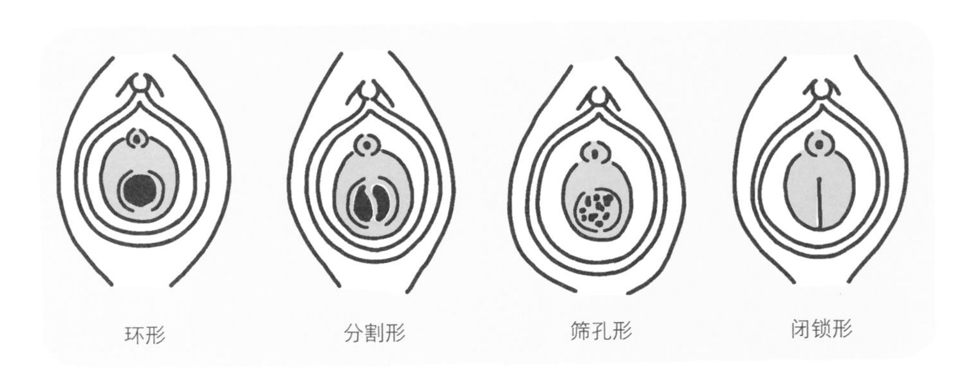

不要以为所有的“小妹妹”都是自带处女膜的，有的人天生就没有处女膜。

还有一种女生是先天无阴道或处女膜闭锁，被称为**“石女”**。

另外，有的处女膜异常坚韧而有弹性，就算是最强力的“丁丁”也很难捅破；而有的却又弱不禁风，只是踢个腿都能被弄破。

由于处女膜有丰富的毛细血管，所以在破裂时会有少量鲜血流出。

“初夜流血才是处女”的说法是非常不科学的。初夜不一定流血，流血不一定是初夜。所以，大家不要过于纠结初夜是否落红。

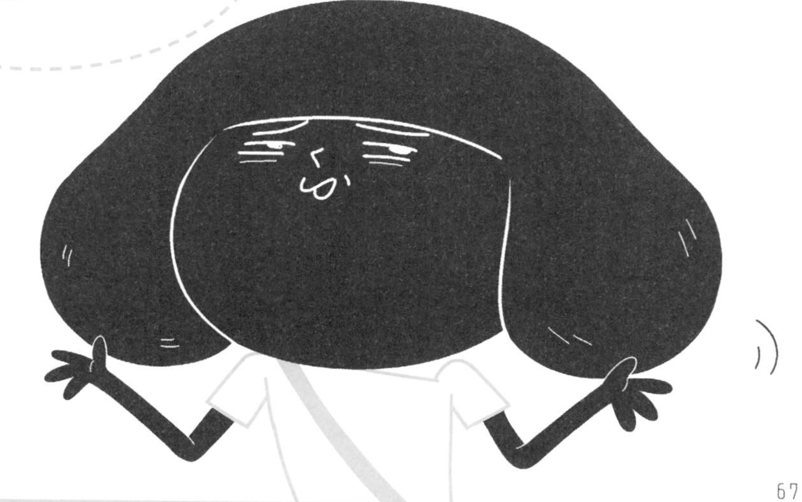

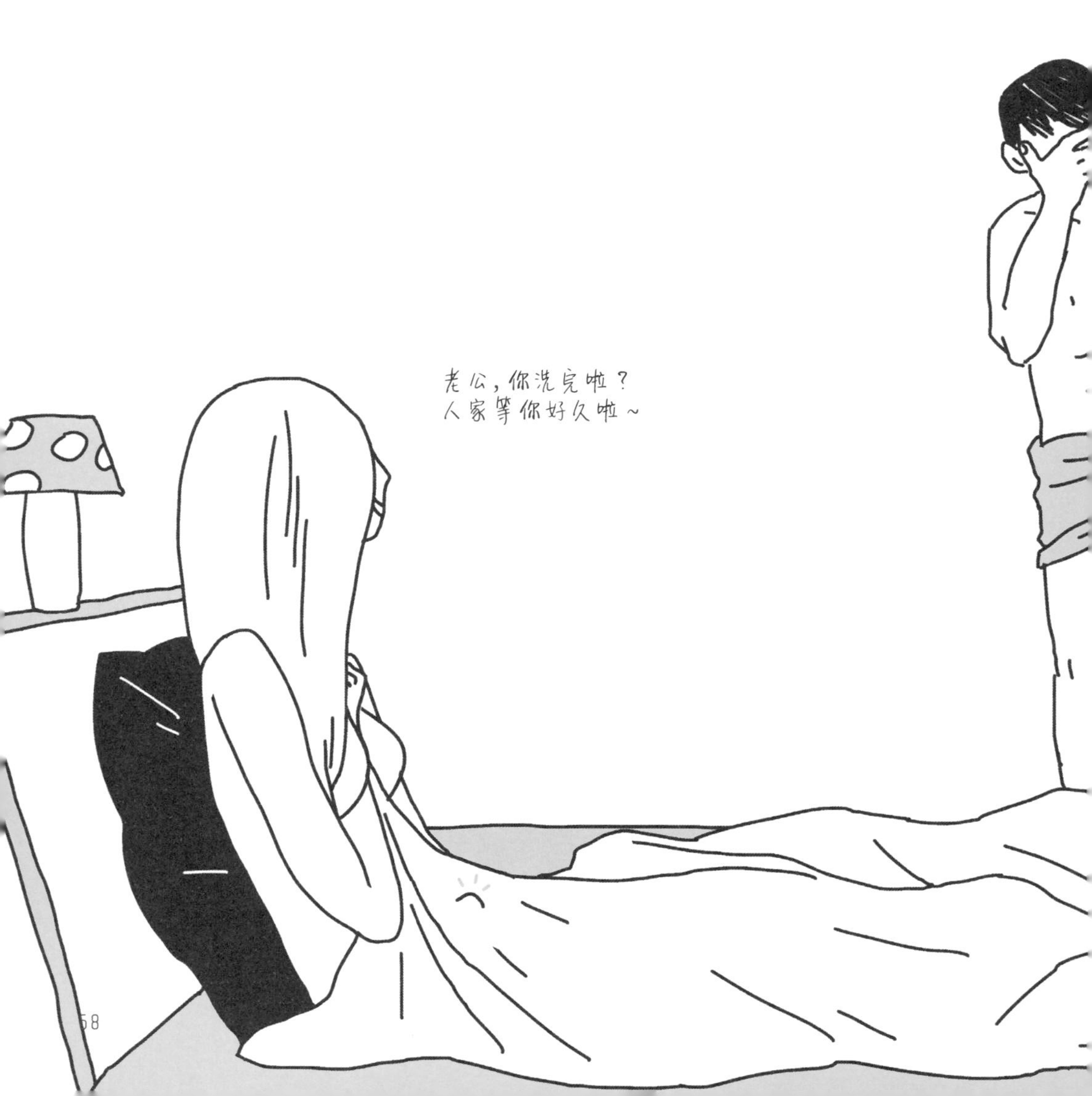
老公，你洗完啦？
人家等你好久啦~

阴蒂

在两片小阴唇之间的顶端，倔强而独立地生长着一个特有个性的器官——**阴蒂**。

它的独特之处在于，除了激发性欲，它就再也没什么用了。

阴蒂与阴茎一样，也是由海绵体组成，受到刺激后同样会充血勃起。

所以说，“小妹妹”也是有勃起功能的哦！

内阴

在“小妹妹”的众多成员中，阴道无疑是最受万众瞩目的。而阴道，就是“小妹妹”的内阴部分了。

内阴包括阴道、子宫、输卵管和卵巢等。

咱们先来说说**阴道**。它是和“丁丁”亲密接触的器官，也是“小妹妹”排出月经和分娩胎儿的通道。为了保护自己，阴道会分泌许多酸性物质，抑制细菌生长。

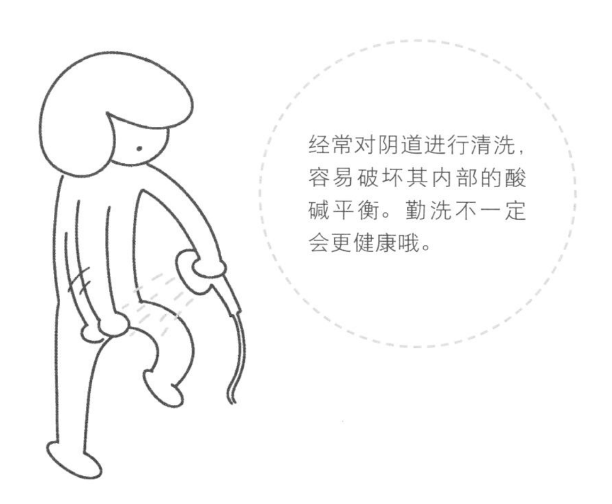

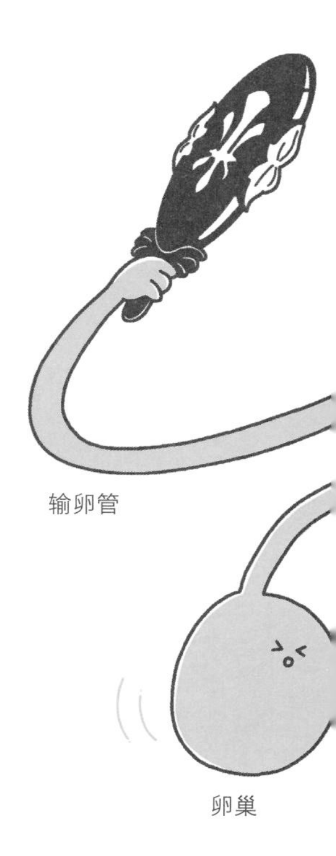

阴道的后面就是**子宫**了，它是我们每个人出生前的小客栈。

子宫是产生月经和孕育胎儿的器官，位于骨盆腔中央，在膀胱与直肠之间。

子宫的大小，与女生的年龄和是否生过孩子有关。没当过妈妈的子宫，一般约长 7.5 厘米、宽 5 厘米、厚 3 厘米；当过妈妈的，就会稍微大一些。

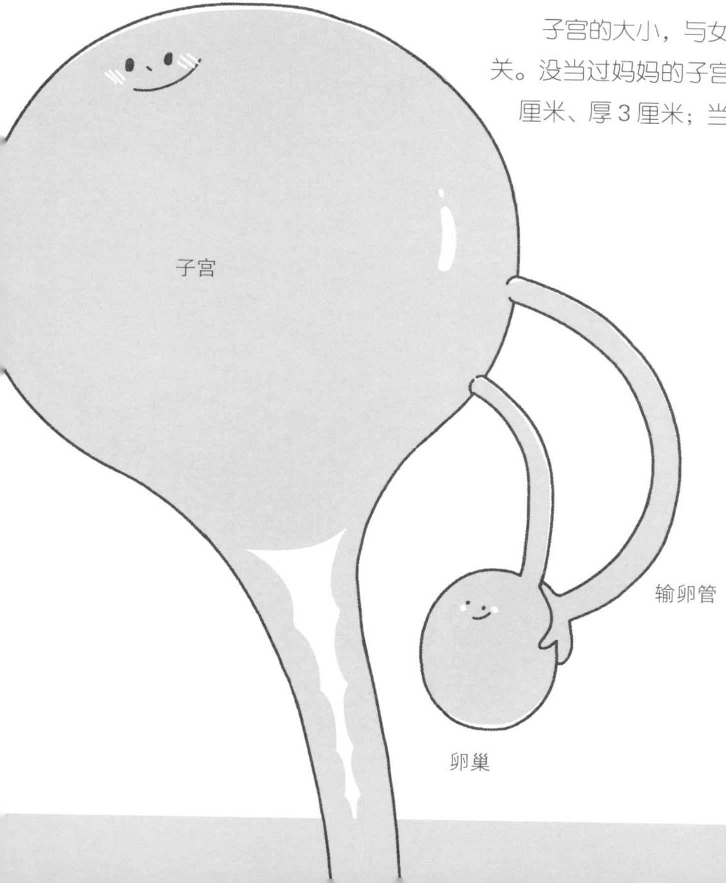

子宫

输卵管

卵巢

子宫宫腔通常呈倒三角形。正常的子宫稍向前弯曲，前壁俯卧于膀胱上，与阴道几乎成直角，位置可随膀胱和直肠充盈程度的不同而改变。

一些“丁丁”总是炫耀自己的长度能顶到子宫，这其中不排除吹牛的成分。尽管阴道长度在一般情况下只有6~10厘米，但它也是个能屈能伸的主儿。在“爱爱”的时候，它会变长变深。除非那个“丁丁”真的是人间重器，否则它也顶多只能跟宫颈口说声“Hello”。

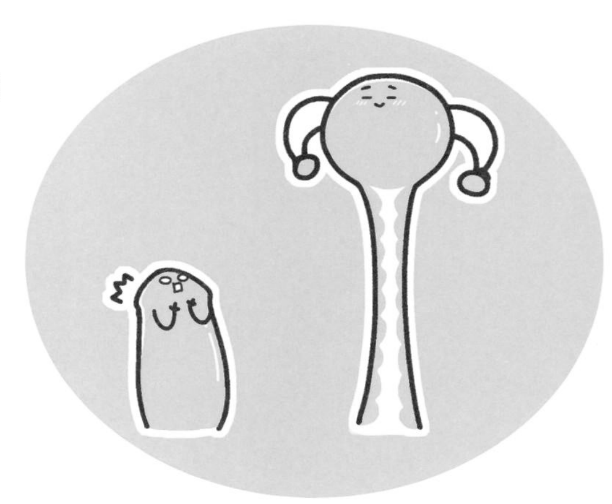

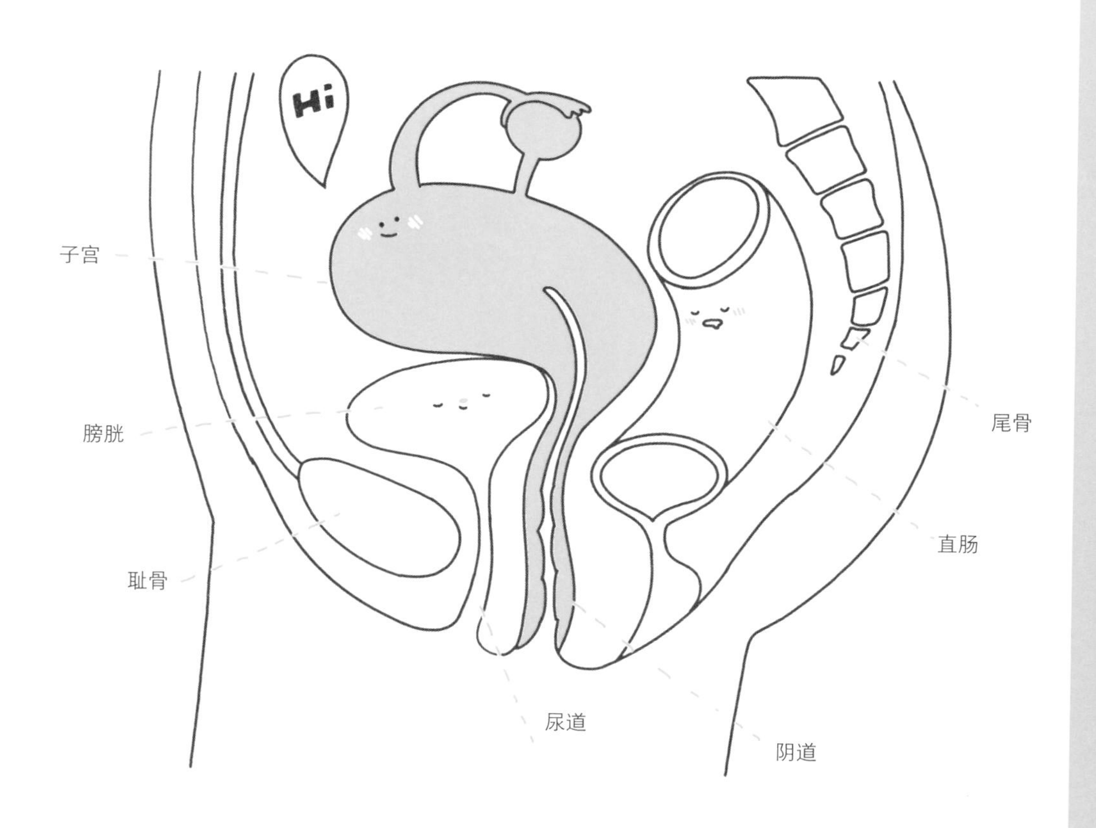

Hi
子宫
膀胱
耻骨
尿道
阴道
直肠
尾骨

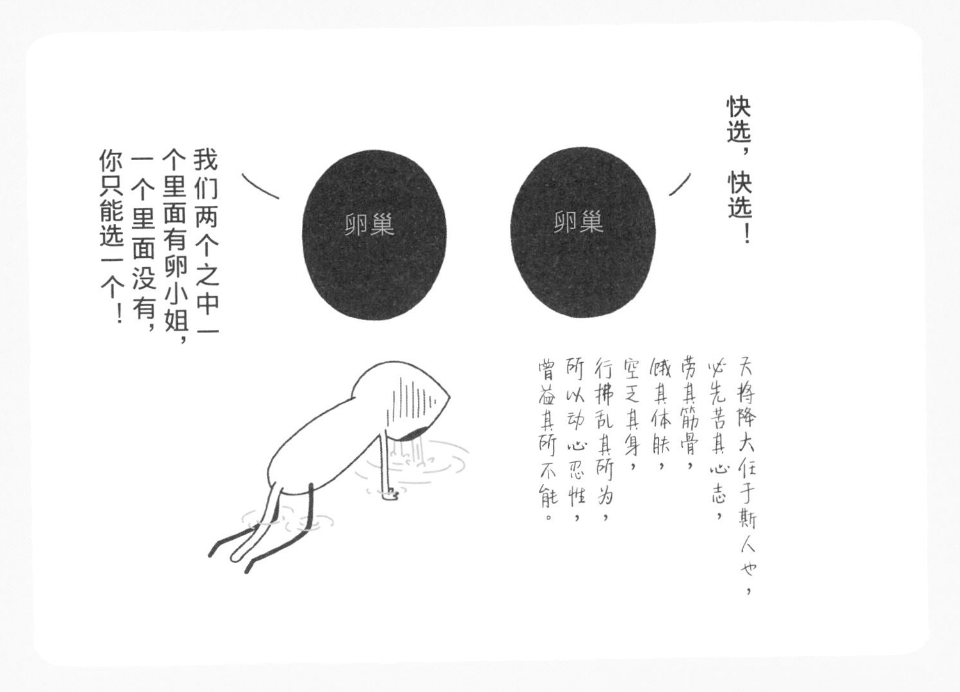

子宫再往里，就是**输卵管**和**卵巢**。想要生孩子当妈妈，应该尤其关注这两个器官。

每个女性都有两根输卵管和两个卵巢。需要指出的是，这两个卵巢里面有一个是给闯入的精子先生出难题的，因为——

一般女性每个月只有一侧卵巢排卵，另一侧处于休息状态。

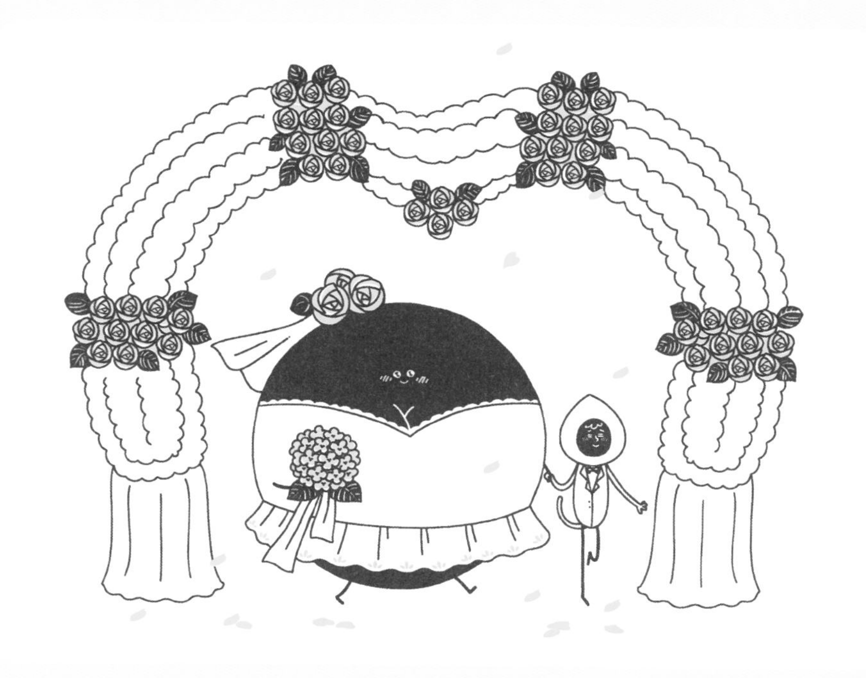

在卵巢内，居住着许多卵泡，卵泡的新陈代谢呈周期性。一般一个周期约 28 天，只有一个卵泡会发育成熟，然后释放出一个卵细胞，即“卵子小姐”。这个时候就是女性的排卵期了，卵子小姐会跑进输卵管里，等待着那个幸运又能干的精子先生——真正的王小明了。

只有最幸运的王小明才可能和卵子小姐相遇。

“小妹妹”爱护准则

平时要注意“小妹妹”的卫生状况。

内裤最好单独洗，并晾干暴晒。此外，清洗“小妹妹”是十分必要的，但要记得，不要动不动就进行全方位的大扫除，定期清洗外阴就够了。

她好你也好。

由于“小妹妹”非常柔软，再加上要直接跟外界接触，所以“小妹妹”都是非常脆弱的，一定要懂得呵护她。

不要老穿什么丁字裤、C 字裤，它们不但会磨伤皮肤，还可能会将“菊花”附近的细菌带到“小妹妹”上。要勇于对有这种要求的男生说“NO”。

爱护自己从爱护她开始。

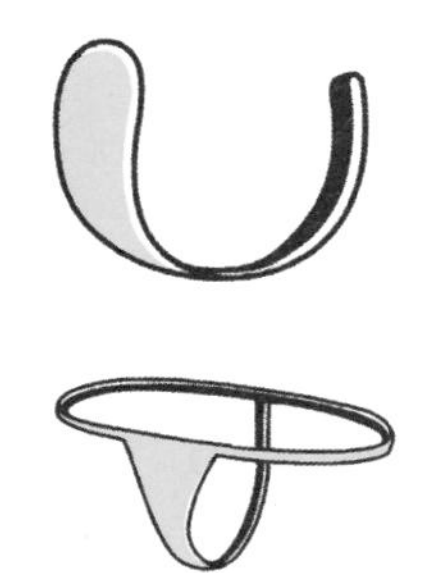

如果纯粹是为了快乐而“爱爱”的话，要确保“丁丁”是干净的。为了防止它上面沾有果皮纸屑等无法预测的东西，最好还是让它戴上套套。

“小妹妹”是如此高大上，邋里邋遢的“丁丁”退散！

DIY 的时候也是有禁忌的。

蔬菜、瓜果要谨慎使用，至于饮料瓶、小型非专用电器、扫把头什么的，就不要用了。脏就不说了，万一卡住取不出来还得去医院……

开心就好，但不要沉迷。

扫一扫

MY HAIR
我的毛毛
我做主
Lesson 5

可是浑身毛毛真的很难看。
同学们，**毛毛虽小作用大**，它的学问可深着呢！

体毛这种东西，就像身上的肉，肉多了嫌胖，肉少了怕病。

其实无论体毛是多是少、是美是丑，它们始终是我们身体的一部分，并且有着非常重要的作用。

虽然不用抱着古时候“身体发肤，受之父母”的原则，但是在爱美之心的驱使下，当各种除毛产品蓄势待发、欲除之而后快的时候，我们觉得有必要还体毛一个清白。

头发
睫毛
眉毛
鼻毛
腋毛
胸毛

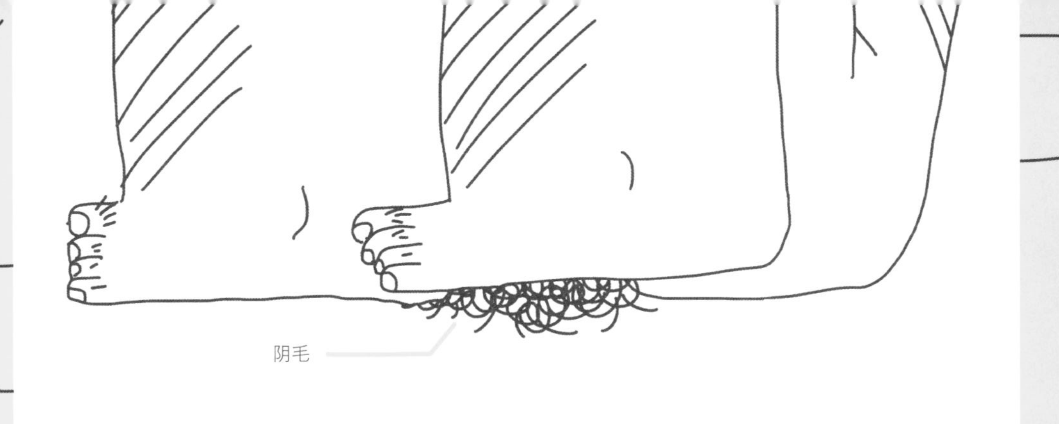

毛毛家族

头发、手毛、腿毛、腋毛、眉毛、睫毛、胸毛、鼻毛、阴毛……还有不容易看见的汗毛，我们身体的每个部位，几乎都被毛毛占领。

据说，人的皮肤表层只有“丁丁”头、手心和脚底板上是没有毛的。如果你连这三个部位也长毛了，那只能用“天赋异禀”来解释了。

体毛的分类

体毛分为三种。

第一种是又长又粗，如头发、胡子、阴毛、腋毛。

第二种很纤细，如四肢和身体上的汗毛。

第三种是胎毛，它们会在我们出生后八个月左右脱落并消失。

体毛的颜色也是五花八门，不同的人种，体毛的颜色也各有不同，但大部分都以黑色为主。

人类皮肤底层存在两种色素细胞，一种是真黑色素，另一种是脱黑色素。如果一个人身上的毛发呈现金色、棕色或是红色，那就说明他体内的脱黑色素含量较高。

有一些人的头发、胡须、阴毛是金色、棕色、红色的，这种情况并不常见，造成这种情况的原因一般有以下几点：

遗传基因

体内微量元素变化

爱美之心作祟，人为的

体毛的作用

不同的体毛作用也各不相同，但其第一大使命都是一样的，那就是保护我们。

头发是保护脑袋的，光头个性、凉快，但容易受伤；眉毛、睫毛是保护眼睛的；腋毛是为了让你的胳肢窝下的肉不被磨红；而阴毛是保护“丁丁”和“小妹妹”的。

除了保护各种器官和组织，体毛的另一大作用就是调节温度。天冷的时候，它们能保温；天热的时候，它们能排汗。

衣服的出现使体毛调节温度的作用越来越小，这也让很多喜欢“剃光光”的人没有了后顾之忧。

对于那些习惯刮掉体毛者，请注意刮毛的方式哦。

去除体毛，有**暂时性去毛**和**永久去毛**两种方法，这两种方法各有利弊。

暂时性去毛的方法，就是选用质量好的脱毛产品。需要注意的是，没有任何一个产品可以保证体毛永不再生，所以在购买的时候千万不要相信这样的介绍。

永久去毛的方法，现在知道的只有激光脱毛。如果你选择这种方法，请一定要到正规的大医院去做，不能有任何意外，否则不仅脱不干净还会留疤，那可是会后悔一生的。

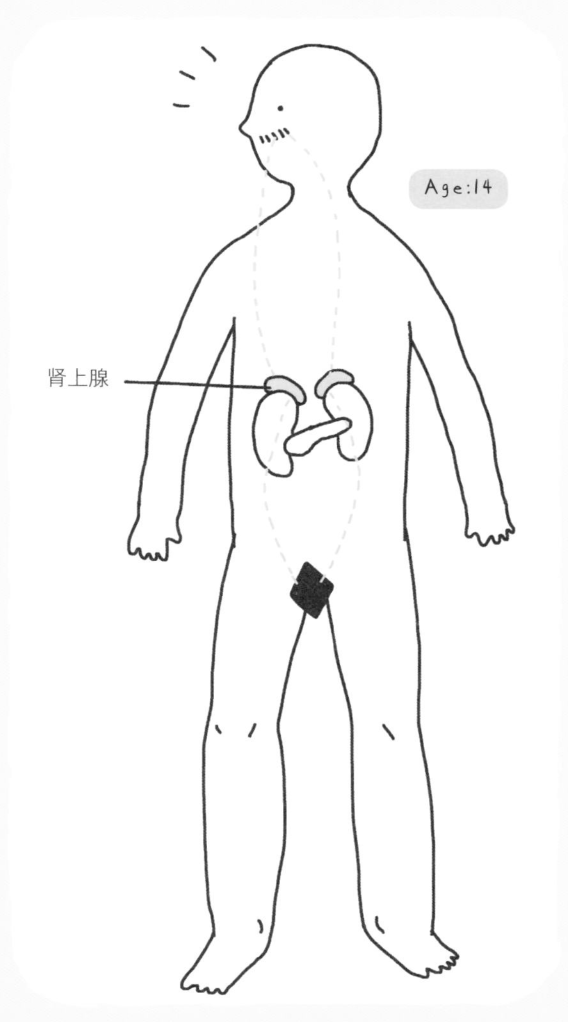

除了头发，腋毛和阴毛想必也是令爱美男女揪心的话题了。

腋毛和阴毛是一样的，都是肾上腺开始分泌雄性激素的结果。腋毛是阴毛的小弟弟，它出现的时间会比阴毛晚一到两年，长出腋毛的平均年龄为十四五岁。

阴毛和腋毛都是少男少女们进入青春期的标志。

胳肢窝下那一撮

腋毛是最先被现代人唾弃的一撮毛毛。

女生爱美，除了太懒和太保守的女生，大部分的女生的腋毛几乎都被刮掉了。越来越多的男生也因爱美之心，弃它而去。

绝大部分人都会长腋毛，至于它的作用，主要有以下三点：

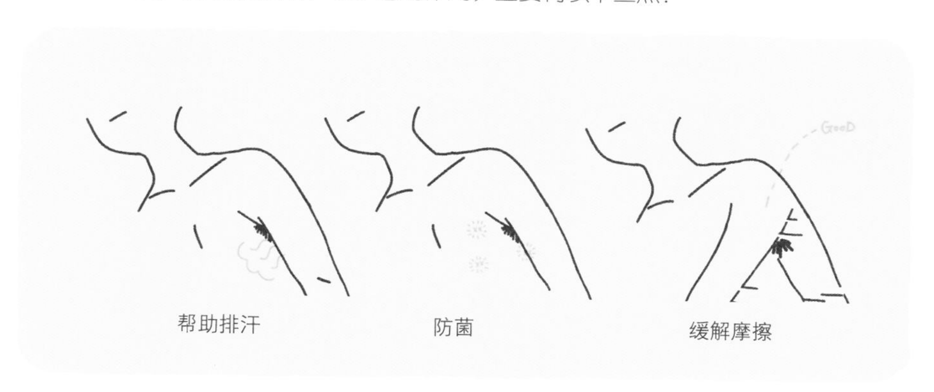

当然，刮与不刮，每个人都有自己的选择，自己满意才最重要。

至于刮腋毛会导致乳腺炎的说法，那就是危言耸听了。

阴暗处的那几撮毛

接下来说说有点羞羞的阴毛。

阴毛并不神秘，它是体毛的一种，只是长的位置比较特殊。

在第二性征发育之前，很多纯洁的少年都不知道阴毛是什么，所以就一律用“胡子”这样的昵称来代替。

“丁丁”和“小妹妹”周边的“胡子”就是阴毛，它们跟一种叫“雄性激素”的东西有关。

不要误会，雄性激素除了让“小妹妹”长胡子，一般不会干什么坏事儿。这种东西，一般是女怕多男怕少。

女孩子如果体内雄性激素过多，长“胡子”的就不光只是“小妹妹”了，嘴巴周围也会长；而一个男孩子少了这种激素，或许不只是“变娘”那么简单了。

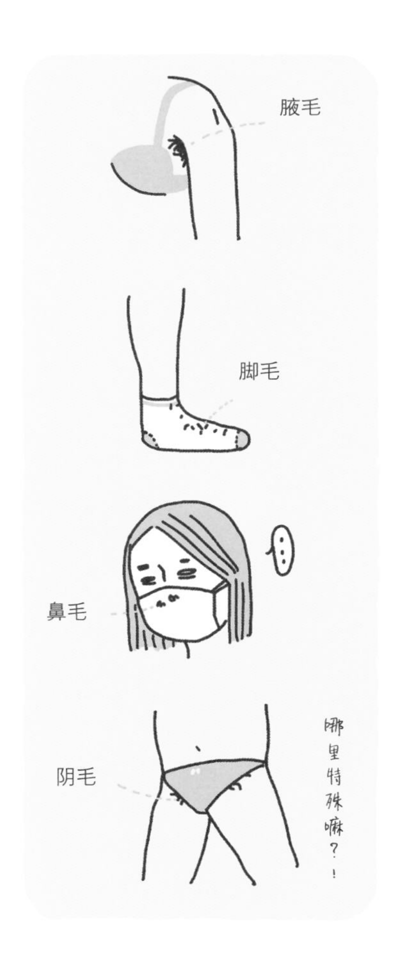

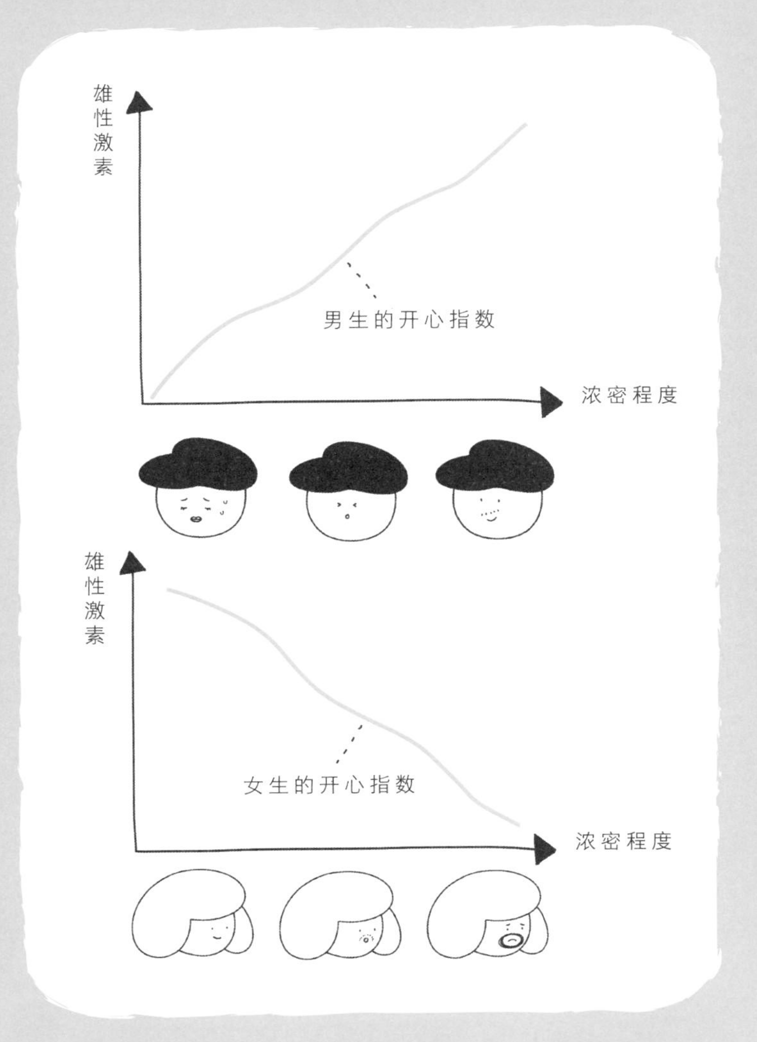
雄性激素
男生的开心指数
浓密程度
雄性激素
女生的开心指数
浓密程度

男女阴毛的形态类似，一般是粗黑且卷曲。唯一的区别在于分布形状，男性多为菱形分布，而女性则多为倒三角分布。

阴毛卷曲与人类进化有关，再加上后天长期在内裤与皮肤的夹缝中求生，想不卷都难。不信的话，你可以把内裤套头上几年，保证你的头发也会卷。

卷发内裤
超好用
DUANG
高科技、新产品，
戴上头发就能自己卷了，
可方便了。
哦？
内裤卷发帽

阴毛稀疏或者浓密主要和激素有关，和一个人的性欲是没有任何关系的。什么阴毛越茂密性欲就越强、青龙白虎天人合一的鬼话，千万不要信。

举个很简单的例子，中东、欧美男人体毛、阴毛都旺盛到变态的程度，难道他们都是“性成瘾者”不成？

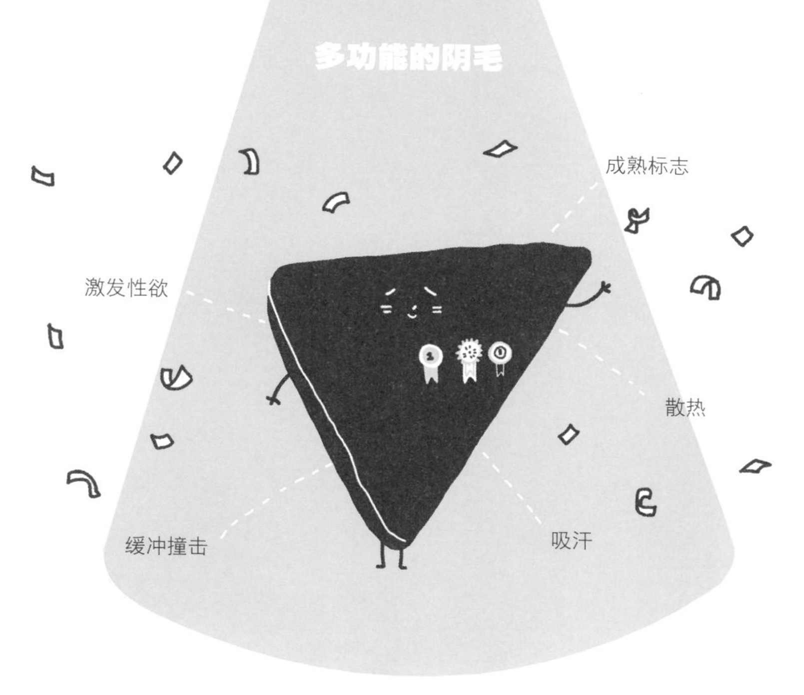

阴毛最原始的作用是为了吸引异性、激发性欲。首先，阴毛是第二性征的一个标志，有了阴毛，就能判断对方是否已经成熟；另外，由于人类跟一般动物不一样，没有固定的发情期，于是我们的身体就进化出各种激发性欲的东西，阴毛也是其中一种。

除了为人类繁衍提供“春药”，阴毛还有两个作用，一是充当三角区的散热器，将汗和黏液向周围散发；二是在“爱爱”的时候缓冲撞击。

自从内裤这种东西被发明出来以后，阴毛们就面临着一个很严重的问题：

整天被关在里面容易滋生细菌。

因此，哈姆雷特式的难题就出现了：刮还是不刮，这是个问题。

其实这种事儿没有绝对的标准，刮不刮对身体都没有太大的危害。需要提醒一下的是，刮掉的同学一定要对毛茬茬有高度的忍耐力，因为它们不仅会让自己的裆部火急火燎，还有可能在“爱爱”时误伤伴侣。

别忘了令人头疼的肛毛

肛毛，顾名思义，就是长在“菊花”附近的毛。

有的专家认为，这是阴毛的一部分。因为人是从猿进化而来的，猿身上长满了毛，随着进化，这些毛越来越少，只不过“菊花”附近的还没来得及进化，所以肛毛跟智齿、盲肠一样，属于人类的痕迹器官。

有一部分人是不长肛毛的，其中以女生居多。而肛毛的作用在科学界还没有定论。

无论是身体哪处的毛发，都需要清洁，特别是位于私密部位的阴毛，因为虱子是最喜欢脏毛毛的哦！

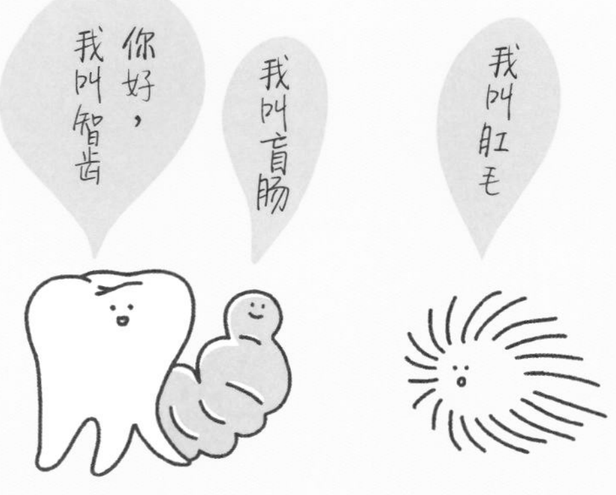

痕迹器官

很多人不长肛毛。肛毛的作用在科学界还没有定论……
放屁时用来减缓两瓣屁屁之间的摩擦。
扯淡。

体毛冷知识

正常人的体毛不可能比头发长，因为体毛的寿命一般只有六个月。由于长得比掉得快，所以我们不会变成“白条鸡”。

一些专家学者在研究了门萨国际（高智商俱乐部）成员的体毛之后认为，体毛越多的人越聪明。

英国一位无聊的医生艾利斯（Ellis），专门研究女性的阴毛，并做了详细的记录。他调查的一位女性阴毛十分浓密，并且垂到了膝盖附近。生财有道的她将阴毛剪下来制成了假发并对外出售。

国外有调查显示：

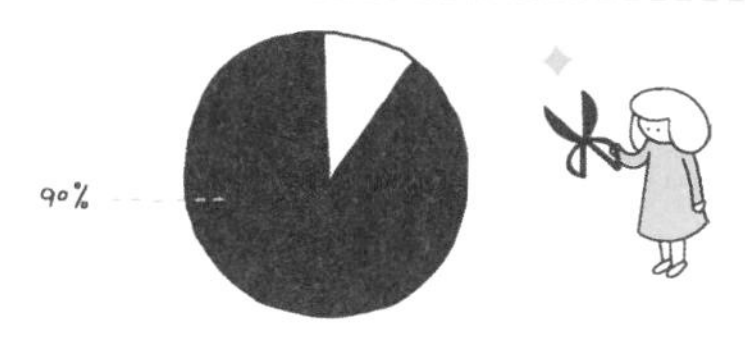

● 90% 的女性都有修剪阴毛的习惯

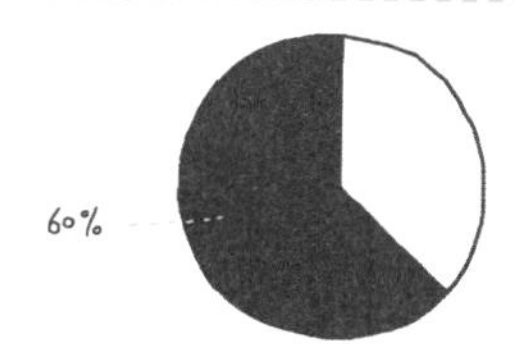

● 60% 的男性喜欢伴侣没有阴毛

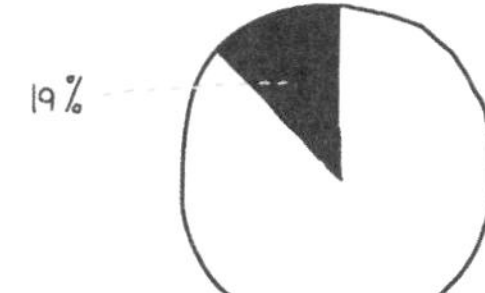

● 19% 的男性也会剃掉阴毛

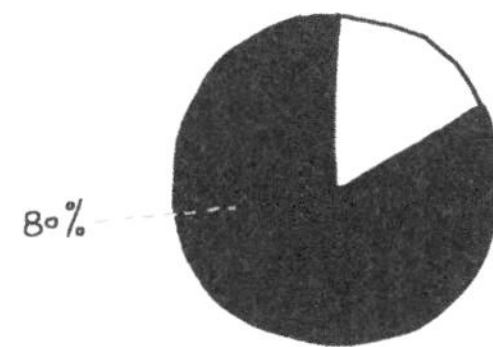

● 80% 的人表示，剃掉阴毛之后，那里真的很痒啊！

扫一扫

咪咪

BREAST'S STORY
"咪咪"的故事
Lesson 6

如果你在吃五毛钱一袋的咪咪虾条时，露出奇怪的笑容，那就说明你已经过了纯洁的年代了。

作为女生身体上的一种最受瞩目的器官，“咪咪”也最能引起人们的无限遐想。

但如果你对“咪咪”的印象还只是“两坨肉”那么简单，那你实在是太缺乏常识了。

咪咪~
咪咪~
呵呵……

深冬冰雪，初夏新棉

“咪咪”表层皮肤的颜色和人体其他部位的肤色是一致的，所以“深冬冰雪”有些夸张。如果想显得更白一点儿，那只能穿着比基尼晒日光浴了。

乳头的颜色则会因人而异，粉红、深红，甚至是黑色……但这和性经验多少绝对一点儿关系都没有。

由于“咪咪”的内部主要是由脂肪构成的，所以它很有弹性，将其比作“初夏新棉”还是很恰当的。

扫一扫
粉红、深红、黑色
QQ哒
ter

其数为二，左右称之

“咪咪”的数量是两个，并且左右对称——但是必须要说明：

这对儿“双胞胎”，其实并不一定是一样大的，通常大小会有细微差别。

人在胚胎发育期的时候，会先在腹部一侧形成两排突起的**乳线**（milk lines），也称乳嵴（breast ridge）。在出生前乳线通常都会退化，只保留胸前的两点，发育形成乳房、乳腺、乳头。

如果退化不完全，就可能形成**多乳症**（多乳房、多乳腺、多乳头）。也就是说，我们曾经都有过两排“乳房”，跟母猪差不多。

发于豆蔻，成于二八

女生的“咪咪”在青春期前后开始发育，并逐渐增大。其发育的成熟期，正是在16~18岁。

乳房的名称跟它的形状息息相关。无论是圆盘形、圆锥形、半球形、纺锤形，它都跟“圆”有关。

乳房的大小是因人而异的，能够被称为“双峰”的，其实是少之又少，很多只能成为“双蛋”。

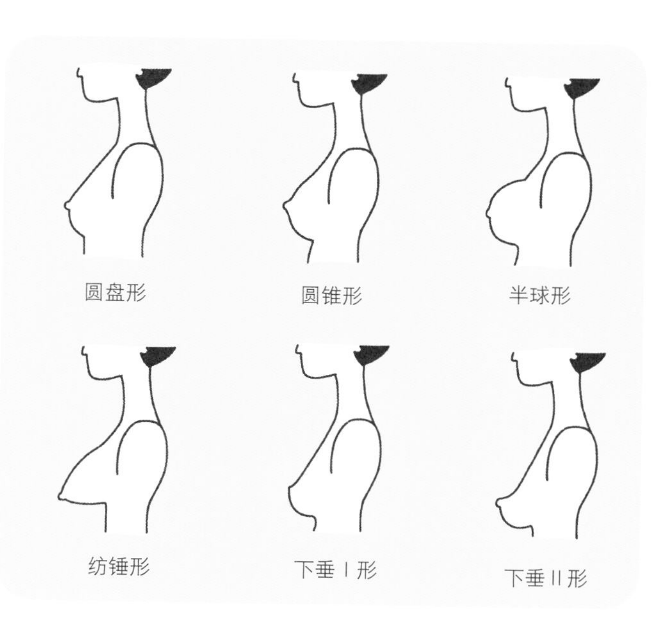

乳房是第二性征器官，
女性的乳房还是哺乳器官。

乳房悬韧带是乳房中的纤维束，像整个房间的钢筋大梁一样，起支撑和固定乳房的作用。

成年女性**乳腺组织**由 15~20 个乳腺叶组成，其主要功能是泌乳，还具有显示女性特征的作用。乳腺叶由许多乳腺小叶构成，乳腺小叶含有很多腺泡。而乳腺导管则将分泌的乳汁运送到乳头附近排出。

那些把“咪咪”比作“两坨肉”的男生们，很明显是忘了“咪咪头”的存在。**乳头**是乳房中的特殊存在，它比乳房组织和周围皮肤都要硬。在受到性刺激时乳头也会勃起，而且不短哦。

脂肪组织占了整个乳房体积的绝大部分，它包裹整个乳腺组织（乳晕除外）。脂肪组织层厚则乳房大，反之则小。

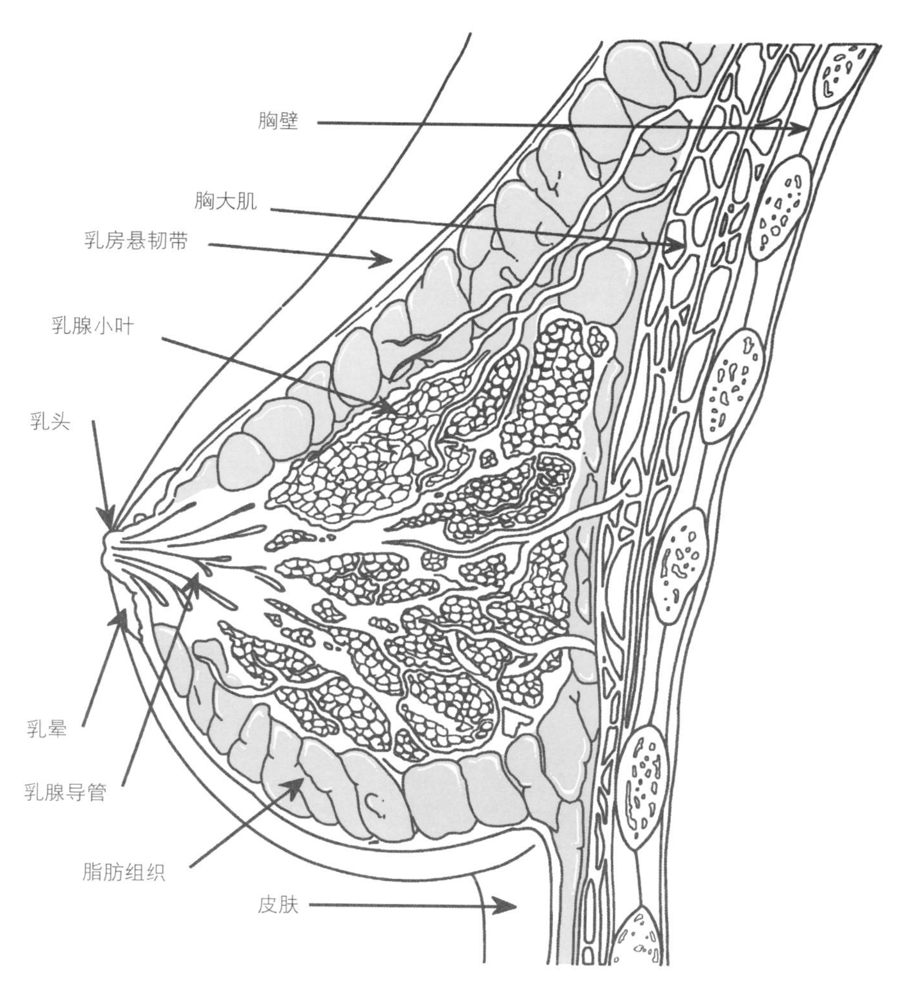
胸壁
胸大肌
乳房悬韧带
乳腺小叶
乳头
乳晕
乳腺导管
脂肪组织
皮肤

丰胸那些事儿

女生的“咪咪”一般只会在青春期和哺乳期时，在雌孕激素的作用下，出现发育或二次发育，这时候它的大小会发生一定的变化。

部分女生为了可以“大点儿、再大一点儿”，会采用各种办法来丰胸。

什么木瓜牛奶、揉捏搓摩……无所不用其极。更大胆一点儿的女生，干脆就去做隆胸手术，一劳永逸。

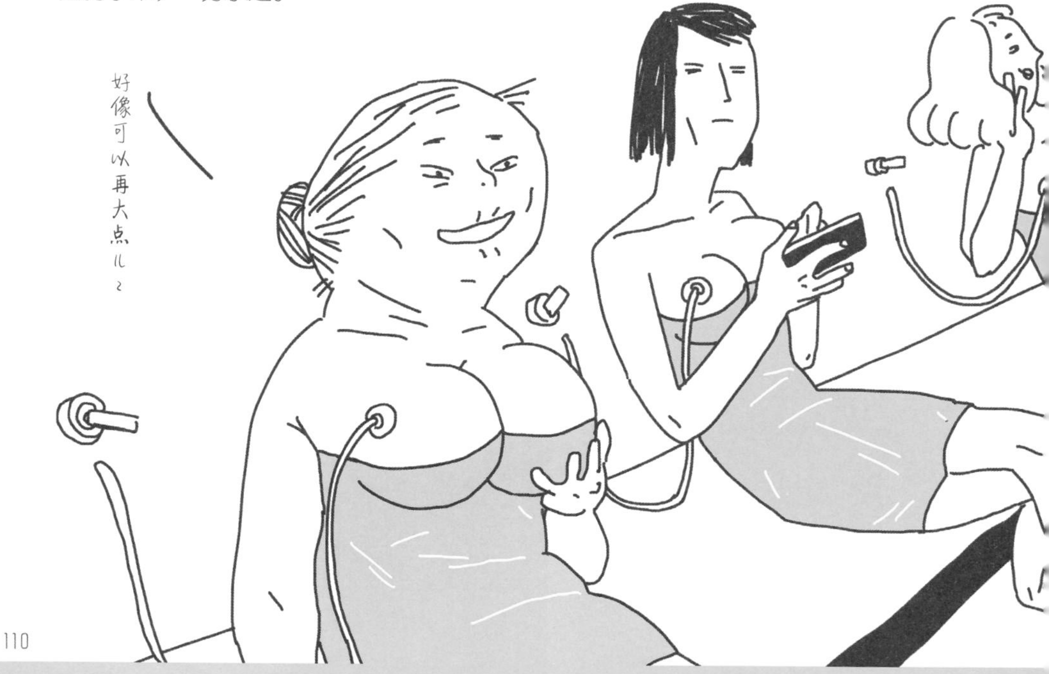

食疗丰胸、按摩丰胸因效果并没有得到科学证实，所以在主流医学界并不流行。

而丰胸手术因其快速见效的特点，受到越来越多女性的青睐。现阶段常见的丰胸手术有两种：

假体丰胸

注射丰胸

假体丰胸

将丰胸材料（即假体）通过手术植入体内。

材料：海绵、硅橡胶、硅凝胶、水凝胶、生理盐水等。

效果：与丰胸材料的选用，以及形状和放置位置有关。

海绵和硅橡胶都已被禁用。

注射丰胸

目前最常见的注射丰胸是采用自体脂肪，移植注射于乳腺组织，并促使其成活。

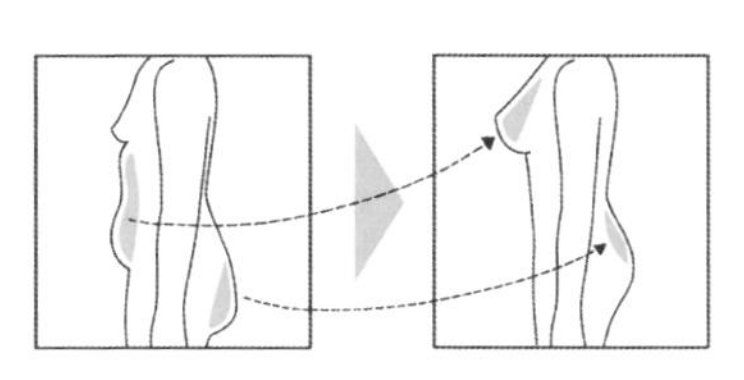

优势：创伤小，负担轻，无明显切口。

缺点：需要进行多次手术；人体会吸收植入的脂肪，影响效果；术后会有并发症。

学名：聚丙烯酰胺水凝胶。可分解为有毒单体，已被禁用。

那些已经隆到Z罩杯的大神们，你们确定26个英文字母拦得住你们的“咪咪”吗？
!!
那么大！
哼，我也要去隆成“大咪咪”！
…
…
我也要，我也要！

与追求大胸而去隆胸的女性相反，还有一些本身胸部就已经很大的女性，她们在生活中还要经常忍受大胸带来的不便。尤其是巨乳症患者，甚至需要手术切除过多的脂肪及乳腺组织。

总之，隆胸是一件存在风险的事情。健康的乳房不管是大是小，都有美的一面。

文胸，戴不戴？

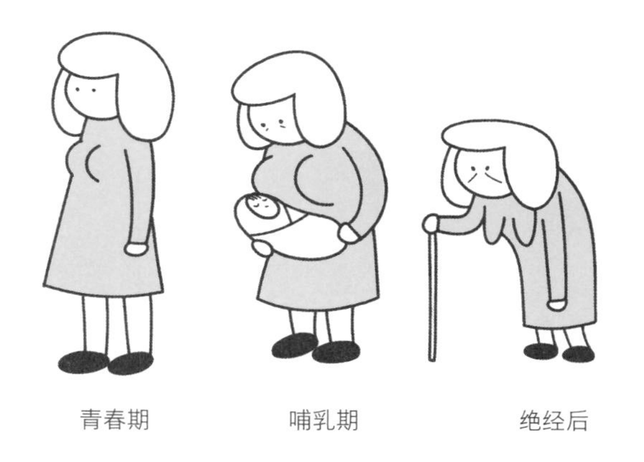

青春期后，乳房的大小会维持在一个稳定的水平。

哺乳期，乳房会变大。

绝经后，由于激素水平一落千丈，乳腺组织开始萎缩。

这时候，让广大女性闻风丧胆的**下垂问题**就出现了！

人类为了对抗乳房下垂，使出了浑身解数。

古代女子用肚兜、束胸等方法，但要么就是效果不明显，要么就是让“咪咪”太憋屈。直到文胸出现，女性的乳房才开始焕发第二春。

当然，也有人认为，文胸会提高乳腺增生发生的概率，因此反对女性不顾自身健康而穿戴文胸。

20世纪30年代，文胸开始普及。文胸对“咪咪”不离不弃的支撑作用，让它成为了女性衣着的标配。

现在，全世界每年花费在文胸上的钱高达160亿美元，而非洲津巴布韦的年GDP不过100亿美元。

美国人亨利在 1958 年就为自己发明的

“对称圆球形遮胸”

申请了专利，但这个搞笑的名字让很多“咪咪”望而却步。

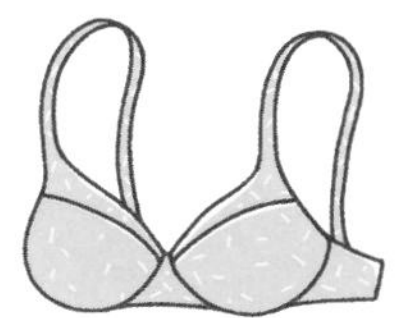

文胸选择有学问

选择文胸前，女生们一定要了解自己“咪咪”的罩杯。千万不要为了追求“好看”“大”“有沟必火”，而去选择不适合自己的文胸。

文胸太小了闷得慌，太大了兜不住，这样都不利于“咪咪”的自由生长。另外，“咪咪”其实很向往自由，所以晚上睡觉的时候最好还是将它们解放出来。

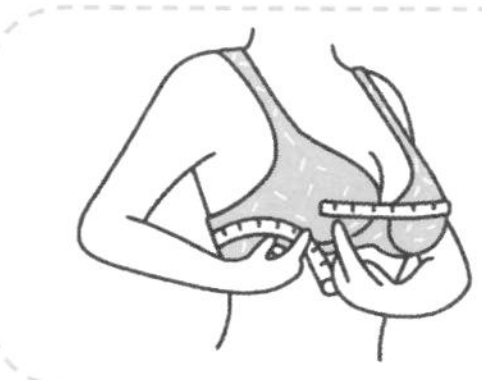

上胸围：用软尺围乳房最丰满处量一周。

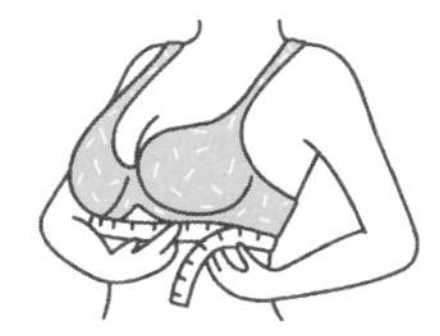

下胸围：用软尺围乳房底部量一周。

上下围差 / 厘米	7.5	10	12.5	15	17.5	20	＞ 20
罩杯	AA	A	B	C	D	E	F

无论是上围还是下围，对于乳房下垂者，都应把乳房推高至正常位置后测量。

文胸的常用标号有：70、75、80、85、90、95、100、105，它们代表下胸围。若测得下胸围为 77 厘米，那么应戴 75 号的文胸，或者试一下 80 号的。

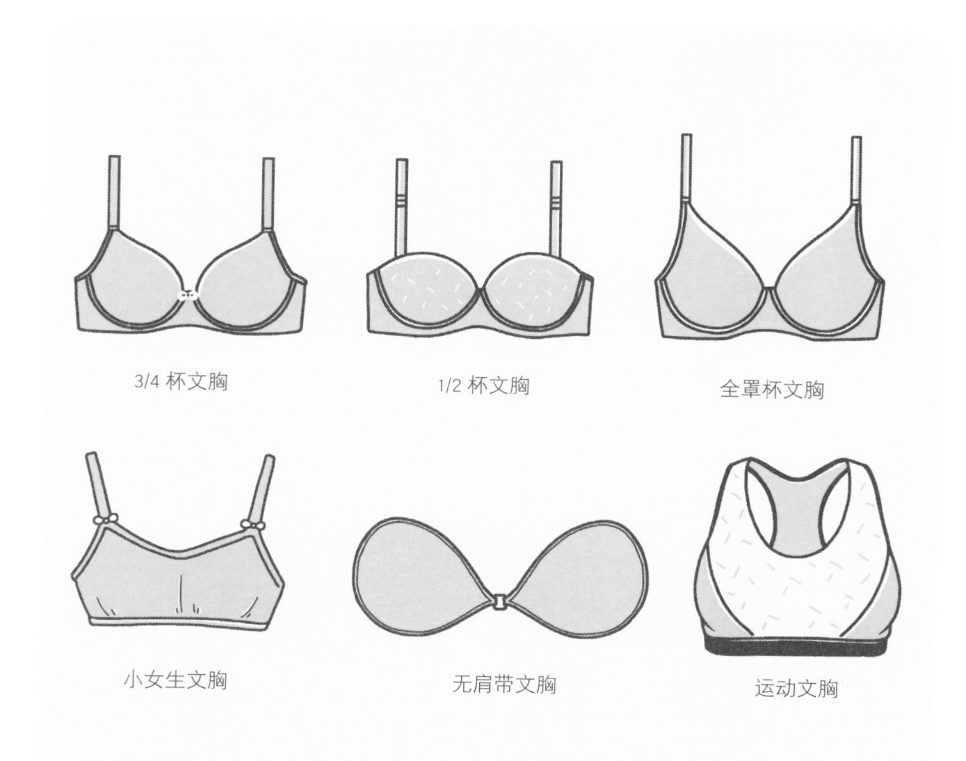
3/4 杯文胸
1/2 杯文胸
全罩杯文胸
小女生文胸
无肩带文胸
运动文胸

滚蛋吧，乳癌君！

“咪咪”很脆弱，会受伤，也会得病。21 世纪以来，**乳腺癌**已经成为“咪咪”的头号杀手。要防止乳腺癌，需要养成良好的生活习惯。

吸烟　　酗酒　　熬夜

为了监测“咪咪”的健康，平时可以多观察和抚摸乳房。当“咪咪”里出现硬块儿、乳头发生内陷、乳房皮肤凹陷时，就要及时去医院检查。

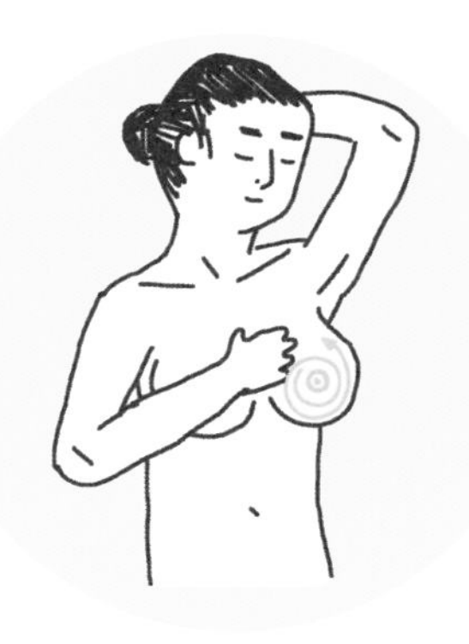

男生们也不要幸灾乐祸。女生有“咪咪”，男生也有。

男生的“咪咪”，除了“咪咪头”之外并不突出。“咪咪头”的唯一作用就是感受性刺激。当然，受疾病和激素刺激时，“咪咪头”也有可能变大。所以，男性也会患上乳腺癌。根据世界卫生组织的调查，每 100 个乳腺癌患者中，就有一个是男性。

扫一扫

OH！ MENSTRUATION
“大姨妈”来啦
Lesson 7

“大姨妈”这个亲戚不好惹

当个女人不容易，每个月“小妹妹”都会出血。

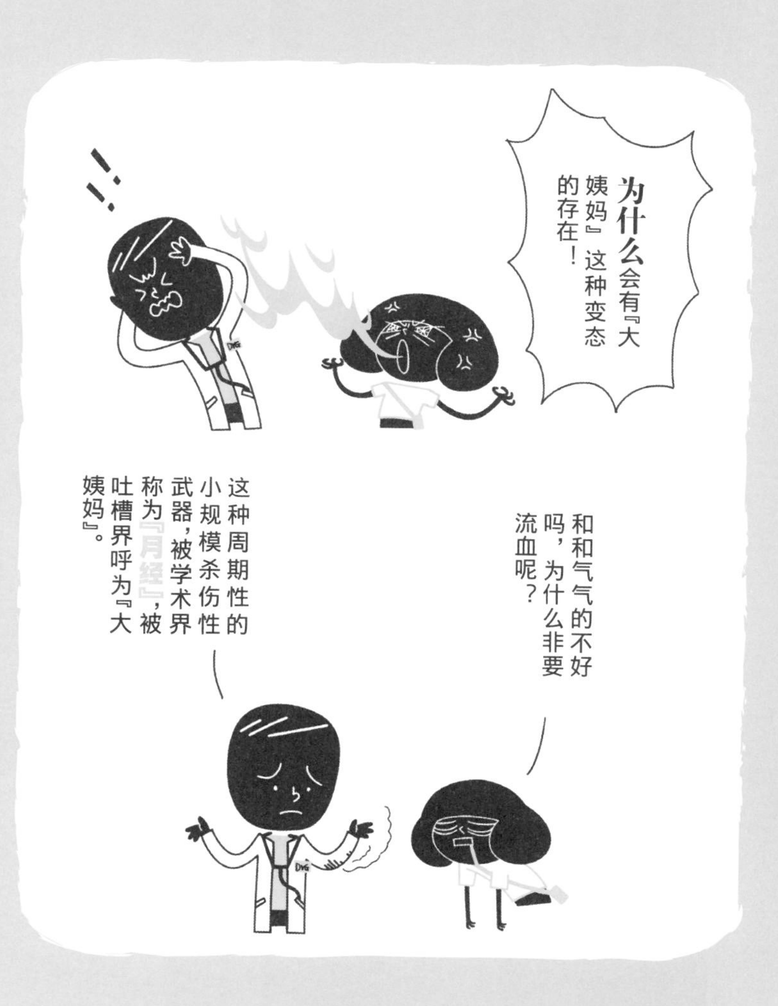
为什么会有『大姨妈』这种变态的存在！
和和气气的不好吗，为什么非要流血呢？
这种周期性的小规模杀伤性武器，被学术界称为『月经』，被吐槽界呼为『大姨妈』。

“大姨妈”的周期

“大姨妈”为什么叫“月经”？

这当然是根据其周期而定的。

女性的月经周期一般为 **28 ~ 30 天**，但也会因人而异。一般医学上认为只要有规律，间隔 21~35 天来一次，都属于正常月经周期。如果 2 个月甚至半年来 1 次，就该去检查一下了。

月经不调（月经周期不在 21~35 天）并不一定都是由疾病引起的，可能与快速减肥 / 增肥、过度运动 / 节食、压力过大、性行为等导致内分泌紊乱有关。

月经周期的计算方法也很简单，从来月经的第一天，到下一次来月经的前一天，这段时长就是月经的周期。

一个完整的月经周期可以分为：

卵泡期　**排卵期**　**黄体期**

这种分类方法是从卵子的发育角度提出的。

姨妈侠 APP* 可以让用户轻松体验调控自身的内分泌和“大姨妈”，以及“大姨妈”的出血量。将控制器粘贴在腰间，就可以轻松调控，并且不再疼痛。

* 如果你真的去搜索了这个 APP……说明你是个充满童真的人！

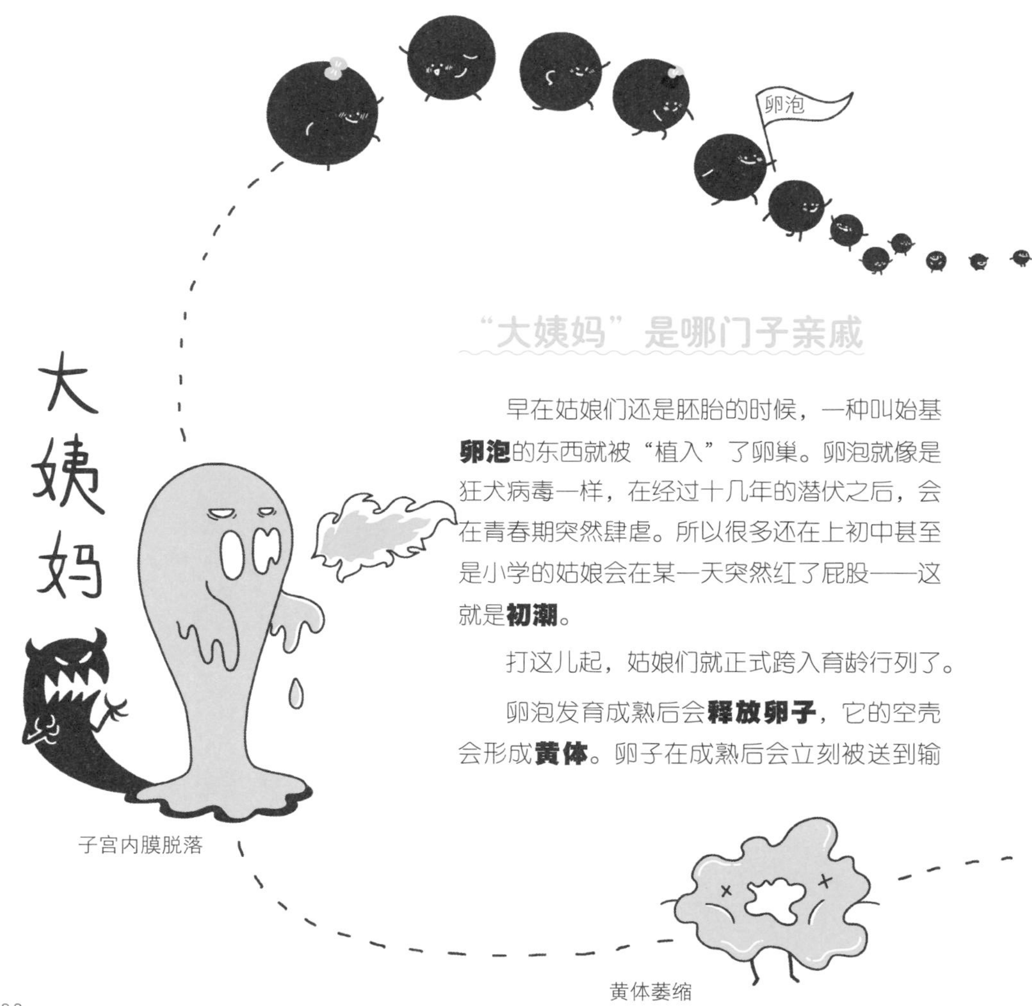

“大姨妈”是哪门子亲戚

早在姑娘们还是胚胎的时候，一种叫始基**卵泡**的东西就被“植入”了卵巢。卵泡就像是狂犬病毒一样，在经过十几年的潜伏之后，会在青春期突然肆虐。所以很多还在上初中甚至是小学的姑娘会在某一天突然红了屁股——这就是**初潮**。

打这儿起，姑娘们就正式跨入育龄行列了。

卵泡发育成熟后会**释放卵子**，它的空壳会形成**黄体**。卵子在成熟后会立刻被送到输

初潮

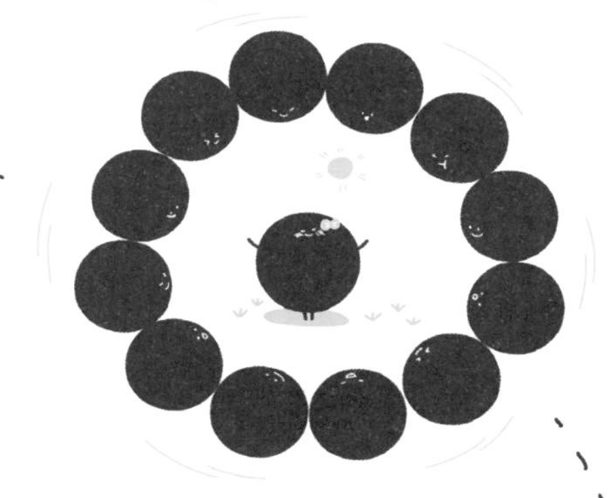
排卵前的卵泡

卵管，等待精子哥哥王小明的到来。如果精子如约而至，他们会结合成**受精卵**，那么接下来就会是妊娠过程，喜当妈了。

如果精子没来，卵子无法受精，那么可怜的卵子一般会在 48 小时内自然死亡。大概 14 天左右后，**黄体开始萎缩**，停止分泌雌激素和孕激素；此时，子宫内膜跟着遭殃，它会坏死而脱落，引起出血，万恶的“大姨妈”就这样横空出世了。

释放卵子

黄体

卵泡期

卵泡期是从女性月经排血的第一天开始计算的，也就是说，行经期是包含在卵泡期内的。此时，在性激素的刺激下，卵巢内会有 15~20 个小卵子开始发育。同时，每个卵子都会长出自己的“壳儿”，成为卵泡。

跟精子赛跑不一样的是，卵泡的厮杀更加具有“宫斗”色彩。在卵泡期内会有一个优势卵泡，她技压群芳，是争宠达人，最终会脱颖而出。

卵泡期一般持续 7~21 天，但这并不意味着卵子就是这几周赶工的结果。这点儿时间其实就是最后冲刺，如果算上之前的准备工作，一颗始基卵泡成长为卵子需要更长的时间。

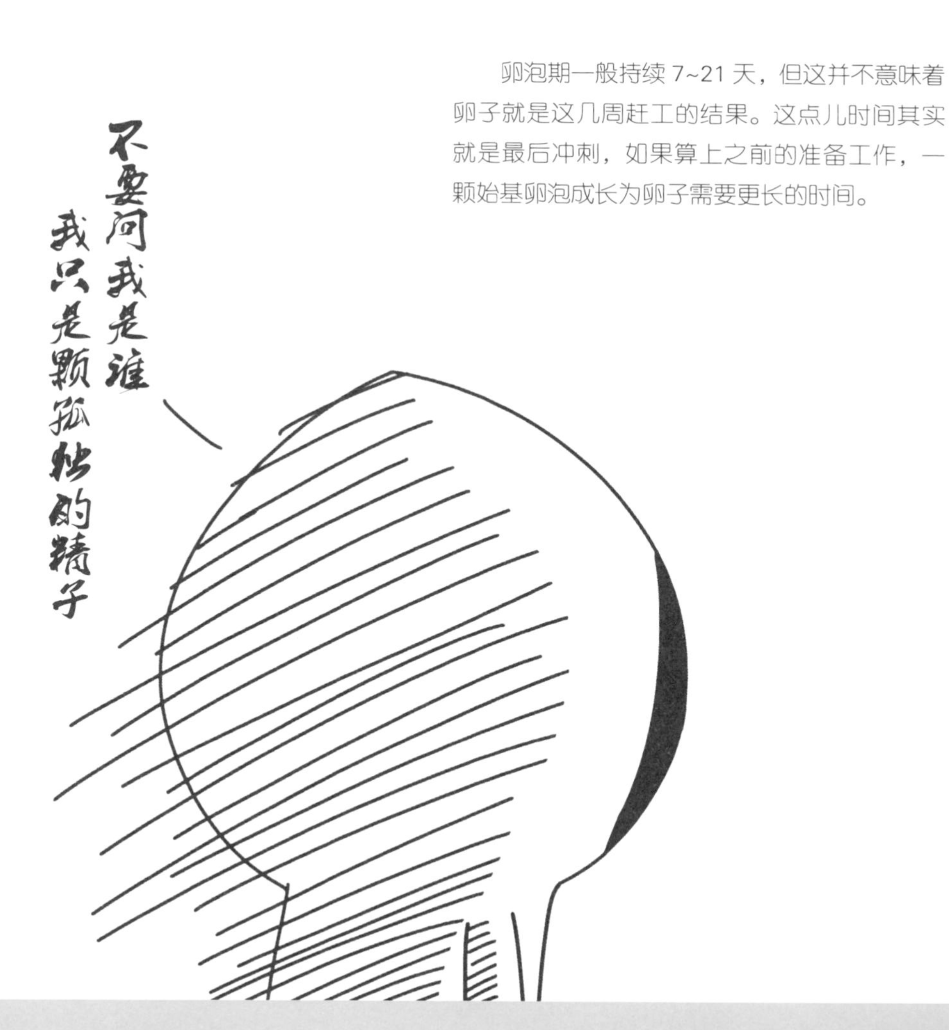

排卵期

在卵泡期后，卵子成熟了，会被卵巢排出，这就到了排卵期。排卵期是根据排卵日而定的，在这期间如果卵子能够和精子打上照面，那就很容易怀孕了，所以排卵期也被称为“危险期”。

排卵期的计算方法：从下次月经来潮的第一天算起，倒数 14 天就是估算的排卵日。排卵日及其前 5 天和后 4 天加在一起称为排卵期。

■ 排卵期

这个公式仅供参考。哪怕是月经正常的女生，利用非排卵期（所谓安全期）避孕，失败率也可以达到 17%。

来“大姨妈”的姑娘
会突然变成一种
我们不认识的生物

排卵期特征

精力旺盛

如果你感觉自己在月经后一段时间跟打了鸡血似的，那就可能是排卵期到了。这也是遗传自人类的自然本能，排卵期的猴子会变成红屁股，是为了能够成功地吸引异性。同样，排卵期的女性会变得神采奕奕。

食欲下降

排卵期的雌性动物，会将更多的注意力放在寻找异性交配上，而不是寻找食物。但是希望通过排卵期减肥，那真是太天真了。

性欲高涨

食欲下降了没关系，从性欲这儿都补回来了。这段时间女性的性欲会变得异常旺盛。

体温升高

此时的体温**会比平时高 0.5℃**。如果妹子们能够坚持在早晨测量基础体温的话，是能够发现这种变化的。

不要觉得谁会没事测体温来观察排卵期啊，在医学上，基础体温测量法，是判断排卵最简单有效的方法。

许多女生在需要检测排卵期时，医生最初可能开具的处方，就是监测基础体温，以便于在排卵期同房，提高受孕概率。

有的妹子在**排卵期也会出血**，懵懂的她们还经常误以为自己又来“大姨妈”了。这其实是由于身体内雌性激素水平下降，子宫一下子接受不了，排出一点儿血以示抗议，并无大碍。

黄体期

当卵子被排出，卵巢中遗留下卵子的“壳”，也就是卵泡，此时的卵泡，仿佛一个空巢老人，转身变为了黄体。

黄体期是指排卵后黄体开始形成到月经来潮的前一天。

黄体会分泌黄体酮（也就是孕激素），而卵巢分泌的雌激素也会达到另一个高峰。雌、孕激素一起维持子宫内膜的厚度（增厚的子宫内膜仿佛犁了地、松了土、施了肥的肥沃土壤），兴致勃勃地等待受精卵来着床。

如果没有受精卵，雌、孕激素水平大幅下降，子宫内膜便会土崩瓦解，子宫小动脉出血，伴随脱落的子宫内膜排出体外，便形成了“大姨妈”。

处于黄体期的姑娘会突然变成一种我们不认识的生物。她们可能会变得神经兮兮，莫名其妙地发脾气；一些吃货也开始高傲起来，对平时最爱的食物不屑一顾。这些其实就是**经前期综合征（PMS）**的各种表现。

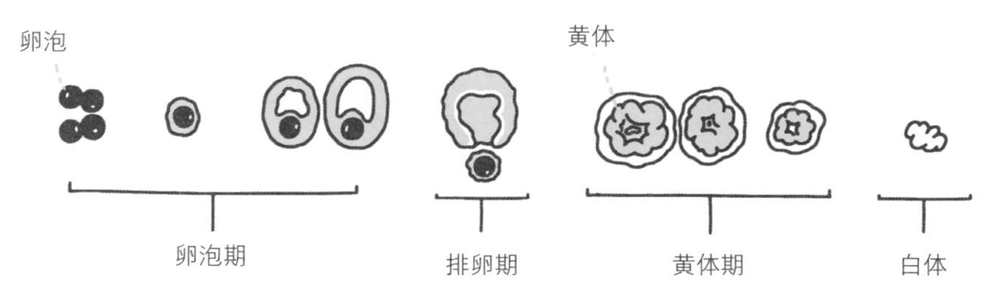

只有一边在工作的排卵过程

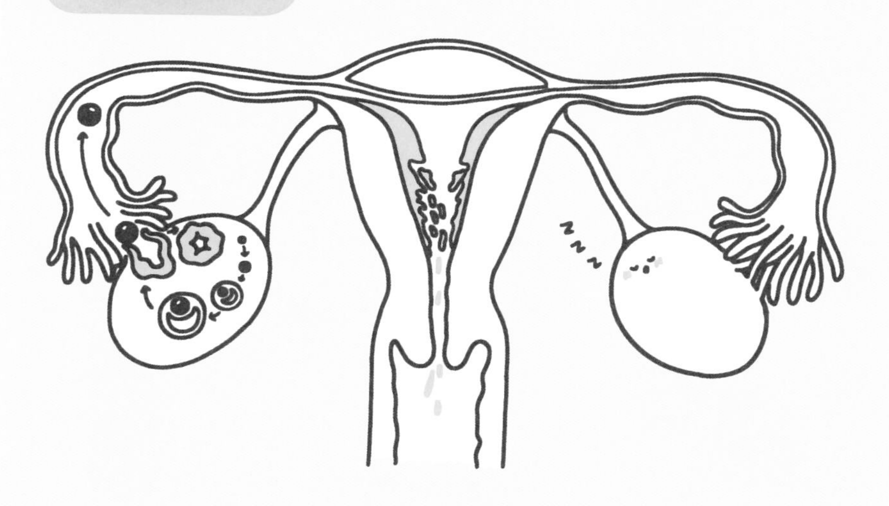

黄体小妹妹是非常脆弱的，在内外力的作用下，她可能会出现破裂、出血。严重者会感受到来自腹部的强烈疼痛，需要及时就医。所以，“啪啪啪”的时候，切忌用力过猛，否则后果很严重的！

“姨妈巾”那点事儿

古希腊女性在一根木棒上裹上麻布，放入阴道内吸附经血。稍有想象力的人都知道，这种东西的自慰功能远远大于吸附功能。

在**古埃及**，人们将一些软布塞入阴道，目的是堵住“大姨妈”流出。很明显，埃及人是把那块儿当伤口了。

在**古代中国**，女性多用一条长长的布巾放在身下吸收血液，称为“月布”或“月经带”，用完后用清水洗净晾干，并重复利用。

在**纸张被发明以后**，有钱人家会在布巾上垫上软纸，穷人家则会抹上一层灶灰，这都是为了增加吸附能力。

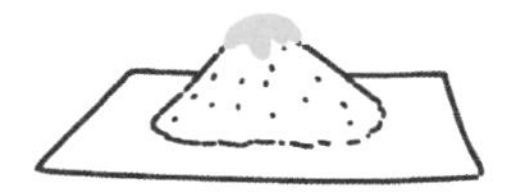

“姨妈巾”是要跟“小妹妹”亲密接触的，所以当然要选好选对，大小轮流上。

白天活动比晚上多，所以要用稍小点儿的日用型。材质上，有的妹子出血量大，最好选用干爽网面漏斗型的“姨妈巾”。为了防止皮肤过敏，棉质“姨妈巾”是最好的选择。

坚持先对后贵的原则，再好的“姨妈巾”，关键时候兜不住，都白搭。

除了“姨妈巾”，**卫生棉条**也是一种不错的选择。

卫生棉条的材质与“姨妈巾”类似，但样子和用法完全不一样。它是呈条状的，需要用手或工具放入阴道内部。

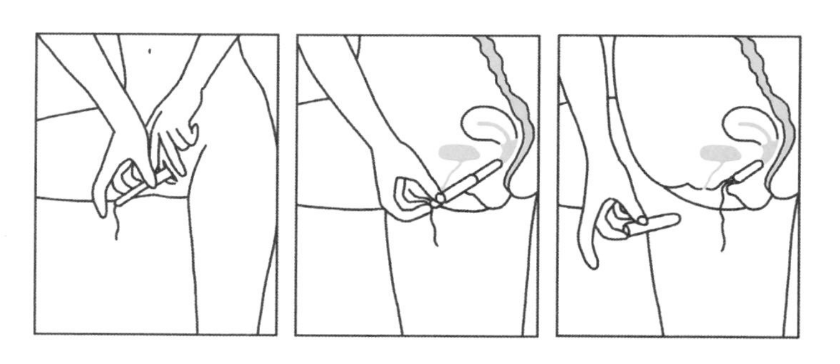

与粗笨的“姨妈巾”相比，卫生棉条更加娇小，所以在运动的时候是绝佳的选择。对于处女膜未破裂的女生，卫生棉条的使用的确对处女膜存在一定风险，如果你很在意的话，就不要使用啦！

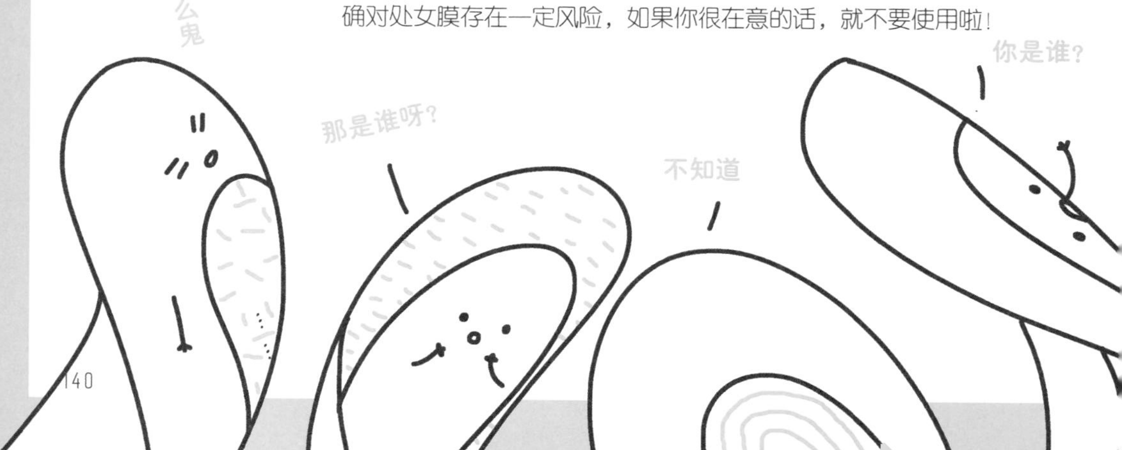

棉条
你们好！
外包浆
线
导管
你好~~
还长着尾巴
……

痛经小贴士

一些女生在“大姨妈”期间，腹部会疼痛，有时还非常严重。那些只知道说“多喝水”的男生，不妨也了解一下缓解痛经的几个方法，这是暖男必备的小知识哦。

1 热水可能真的有用，然而加红糖或者是生姜，其实并没有什么用。

2 小肚子保暖。可以用热水袋、暖宝宝捂住小肚子，这样能够缓解一些疼痛。

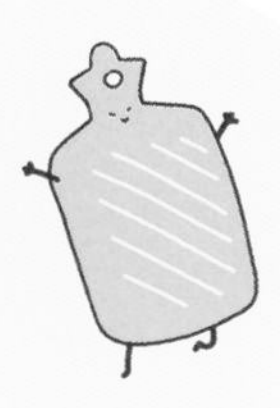

3 保持饮食均衡全面，多吃高纤维的食物，如蔬菜、水果和全谷食物，不宜吃得太咸，不宜喝太多咖啡，也不宜饮酒。

4 平时生活习惯要正常，适当增强运动，增强体质。

5 必要时，可以吃止痛片；平时如果吃避孕药，也可以避免痛经。

累了，
多喝水

扫一扫

WHAT IS CONTRACEPTION
性命攸关
的大事
Lesson 8

一不小心……

古方避孕

自人类文明出现以来，避孕就一直是个永恒的话题。

古希腊人和古罗马人把各种各样的东西塞进女性阴道。比如，块儿状蜂蜜、雪松树胶，甚至鳄鱼粪、象粪（象粪呈酸性可以杀死精子）等。

在古代的中国和日本，用丝质油纸、破布团、海绵塞入女性阴道作为屏障。中国古人还用鱼鳔作避孕套，由于男人的“丁丁”大小不同，找到一个合适的鱼鳔简直是太难了。

块儿状蜂蜜

雪松树胶

象粪

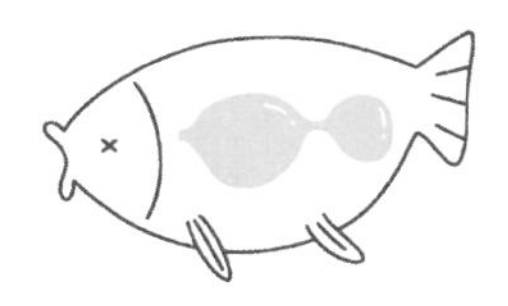

鱼鳔

这种往“小妹妹”里塞杂物和动物粪便的做法不但收效甚微，还会影响私处卫生，极不可取。

在科技已经足够发达的今天，避孕方法已不再那样简单粗暴了。它琳琅满目，花样繁多，总有一款适合你。

不安全的安全期

第七章中已经介绍过安全期的计算方法，即女性排卵日加上前 5 天和后 4 天被称为排卵期。除了这 10 天和 5 天左右的行经期，其余的时间就被称为**“安全期”**。

一些男女同胞们认为，在这段时间“爱爱”，精子照常上班，卵子一定翘班，两者不会相遇，所以不会怀孕。

但是，女性排卵期会受各种因素影响。

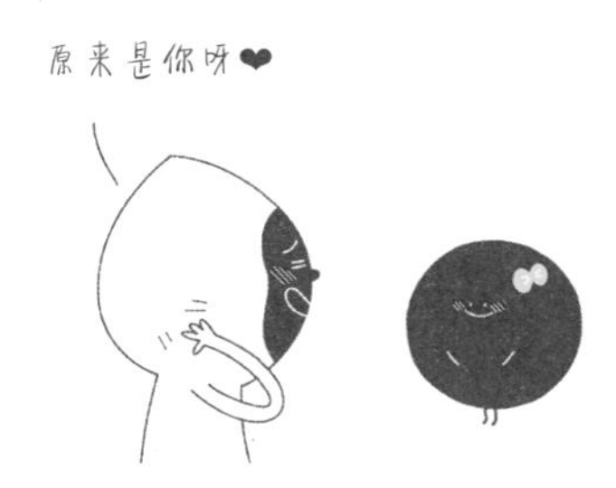

地震、海啸、大爆炸，啤酒、香烟、八宝粥……任何可能影响到女性情绪和身体的东西，都会造成排卵期计算失灵。一旦算错排卵期，卵子早到或晚退，那后果就不堪设想了。

! 安全期避孕只有 75% 左右的成功率，即，“爱爱”100 次的话，会有 25 次怀孕的机会。

体外射精“不能忍”

体外射精法是很多男生的宠儿。

因为它看起来既能避孕，还能让自己像岛国小电影里的男主角一样，体验一次泼牛奶的感觉。

但我们可以负责任地告诉你，这是一种最不靠谱的避孕方法。

自以为可以引而不发的毅力帝们要注意了，许多小精子一不小心就会提前出鞘。而且，精子这种顽皮的小家伙，会经常在射精前就偷偷混入前列腺液里，神不知鬼不觉地游进阴道与卵子小姐私会。

❶ 侥幸心理不可有。

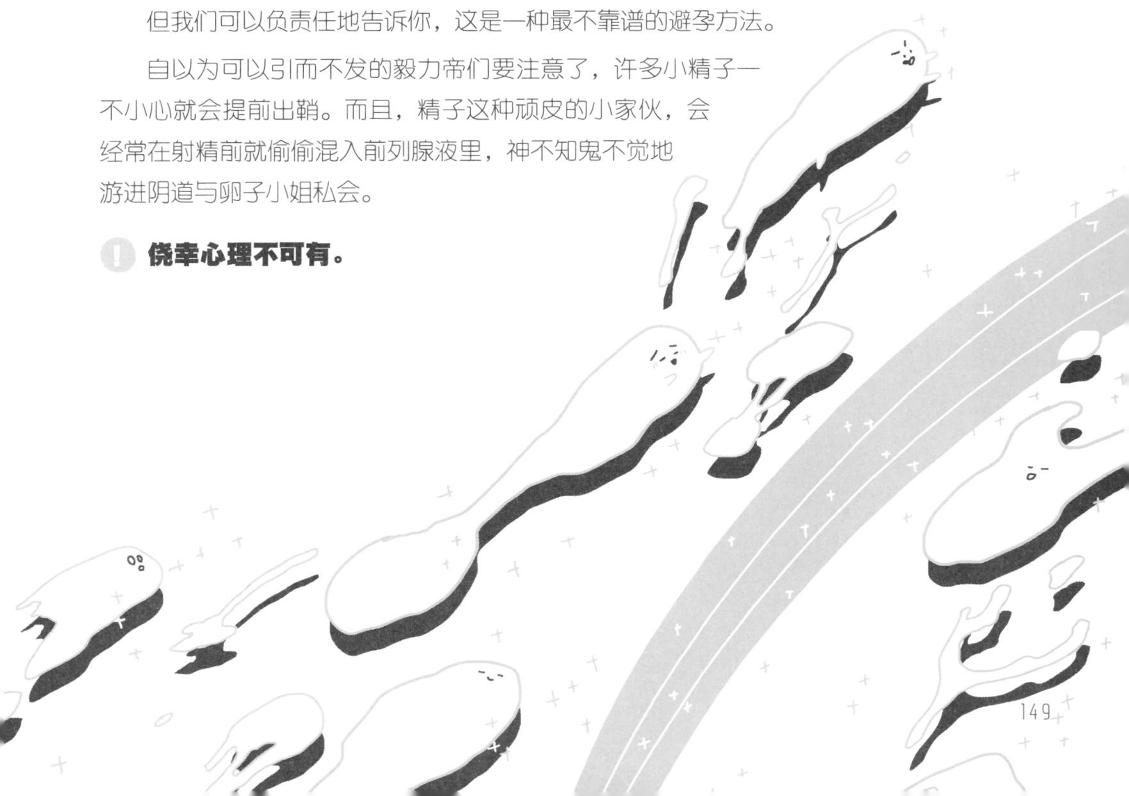

不能停的长期避孕药

大部分避孕药物都是高明的小骗子，它们会让身体产生雌、孕激素，让大脑误以为身体处于怀孕状态，命令卵巢不再排卵，从而达到避孕效果。

避孕率很高，一般可以达到 99%。但一定要记住，想要避孕，药不能停哦！

常规口服避孕药孕激素量比较小，对身体的影响也很小，非常适合想要零距离接触又不想怀孕的妹子。但这种避孕药一般都要在“爱爱”前一段时间服用，有的需要每天都口服一次，万一哪天漏了，就有可能前功尽弃。

尽量少吃的紧急避孕药

由于紧急避孕药中含有的雌、孕激素量较大，过多服用会引起较多的不良反应。因此，男女双方都应该本着“健康 play”的原则，不能只图一时爽快。

成功率高，但身体损伤也很大，如非紧急，少吃为妙。

除了口服避孕药之外，还有一些避孕药是通过打针、外贴、埋植等方式实现避孕的，这些药物都是女生用的。

也有一些药物是给男生们准备的，那就是传说中的“杀精剂”了。

这种东西听起来像“百草枯”一类的高毒农药，但实际作用却不大，成功率不足 80%。因为男生一次射出的王小明少说也有 2 亿个，想杀光他们，哪有那么简单。

紧急避孕药是一种事后服用的药物。如果男生们在无套“爱爱”时没控制住，或套套破损，女生就可以服用这种避孕药。越早服用成功率越高，一般在“爱爱”后 72 小时内服用有效，一旦精子、卵子相遇，甚至受精卵着床，它也无力回天了。

“爱爱”利器——套套

在现有的避孕工具中，避孕套（也被称为安全套、保险套，或者套套）是最常见的一种。

别看这东西小，人类为了用上避孕套可不知道走了多少弯路。

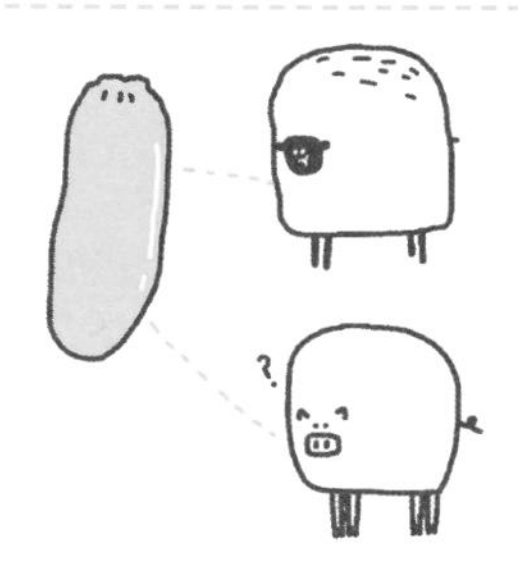

公元前一千多年，古代埃及人开始用山羊、猪等动物的膀胱或盲肠来做避孕套。从那个时代开始，避孕套被用来防范疾病和感染了。

公元15世纪的时候，欧洲人为了防止梅毒的传播，将亚麻布制成了避孕套。但布制的避孕套影响快感，并没有被大范围采用。

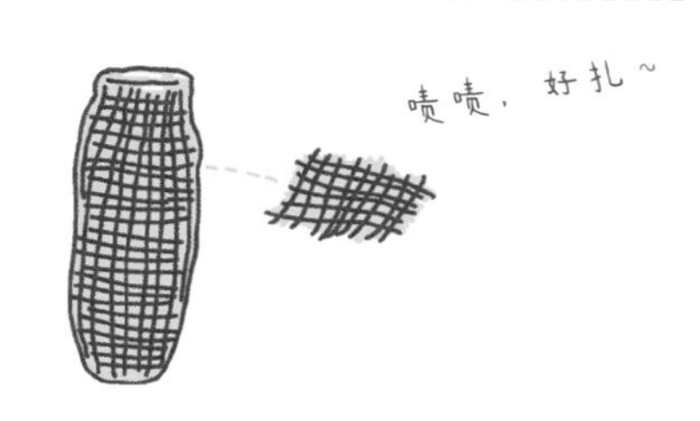

公元 17 世纪，英王查理二世的御医康顿（Condom）发明了男用避孕套。

它的原材料是小羊的盲肠，晾干后再用松油和麦麸弄软，最佳产品的厚度只有 0.038 毫米（乳胶避孕套一般为 0.030 毫米）。

这让国王十分高兴，不但称赞避孕套是“令人愉快的发明”，还授予了他爵士爵位。后来，人们就用康顿的名字为避孕套命名。

condom

- 1839 年，查尔斯·古德伊尔（Charles Goodyear）发明了橡胶硫化处理技术，并投入实际应用，生产出了橡胶避孕套。
- 20 世纪 30 年代，现代的液态乳胶避孕套才开始出现。
- 20 世纪 90 年代，安全套的材料有了新发展，以单一聚亚胺酯为原料的安全套生产出来，单一聚亚胺酯的韧性是乳胶的两倍，可制成更薄的避孕套。
- 2015 年 4 月 14 日，科学家研发水凝胶避孕套，据说比不戴套更有快感。

男用避孕套小巧玲珑，在“爱爱”时包裹着大部分“丁丁”，可以让双方在享受摩擦快乐的同时，又不用担心精液外流。

避孕套和其他避孕方法相比，使用方便，没有副作用。经调查，避孕套的成功率一般为 85%，但是如果知道以下正确使用方法，避孕的成功率可以达到 98%。

1 **不要把避孕套放在有尖锐物品的地方。**否则一把小小的钥匙就可能让精子们秘密出逃。

2 **戴一个套套就够了。**多戴除了会降低快感，还可能增加套套磨损破裂的风险。

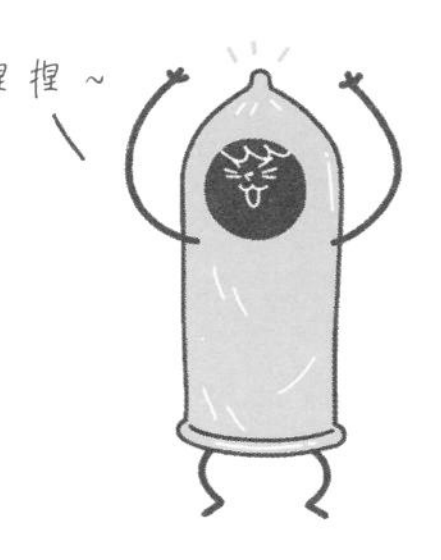

3 **使用前先将套套前端的储精囊捏瘪，**让套套与“丁丁”完美贴合，杜绝破损。

4 选用适合"丁丁"尺寸的套套。套套有大、中、小三种尺寸。国内市面上一般都是中号的套套。不过如果确实尺寸有偏差，可以先量一量自己的尺寸，再去药房寻找合适的型号。此外，还要戴好、戴正、戴全，不能歪歪扭扭老不正经，也不能遮遮掩掩只戴一半。

5 从一而终。不要这会儿戴一下，过一会儿又取下来。更不能刚开始先放进去蹭蹭，过会儿再戴上。

! 安全套既能拦住精子，又能阻挡其他病菌侵入"小妹妹"，实在是居家旅行、避孕节育的必备。

除了男用安全套外，还有一种**女用安全套**。这种安全套工作原理和男用的差不多，只不过是放入女性的身体里。跟男用的比，女用的使用起来更麻烦，但由于它更长、更大，能够防止"丁丁"根部与"小妹妹"的接触，所以，它在预防传染上做得更好。

上环是个什么鬼？

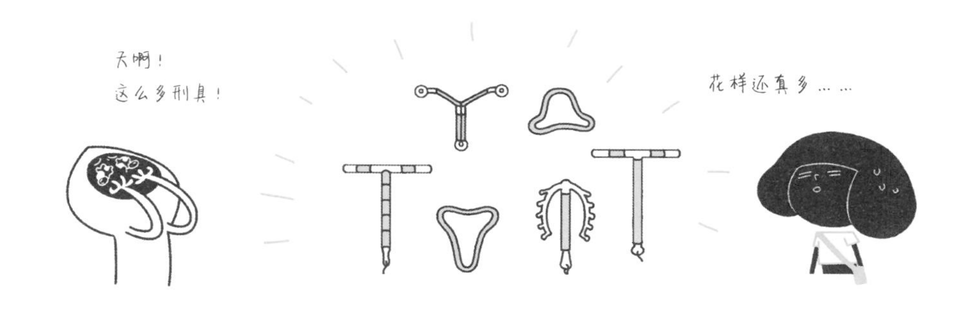

另一种常见的避孕工具就是宫内节育器，也就是常说的“环”。这种避孕方法多用于已婚已育妇女。以前的节育器，通常为圆形，这也是“环”这一称谓的由来，但目前常用节育器多为 T 字型和一字型。

在子宫内，它就是一个无情的杀手，有些可以杀死精子、降低精子活性，有些又能让卵子无法排出，有些还可以影响受精卵着床。新型的节育器能起 3~7 年的作用，避孕成功率很高，取出后一般也不会影响生育。

！节育器是放在子宫里的，所以，男生们就别担心“爱爱”的时候顶到铁疙瘩了。

一刀两断的手术避孕法

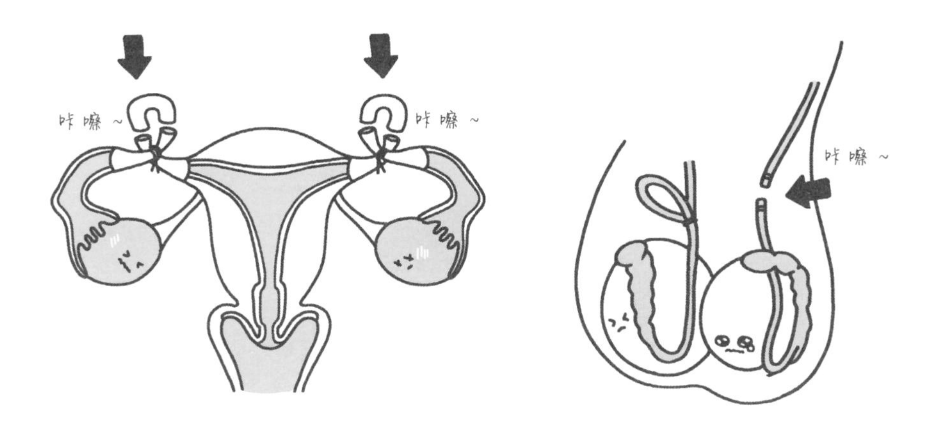

这是一种斩草除根的避孕方法，它切断输卵管或者输精管，俗称“结扎”。结扎手术能让精子和卵子彻底分开，一劳永逸。

除了上述四大类避孕方法外，无聊而又睿智的的网民还想出了许多搞笑的避孕方法，比如多吃一些讹传杀精的蔬菜；“爱爱”后让妹子站起来抖一抖，把精液抖出来……

这些个方法嘛，就当好玩吧！

扫一扫

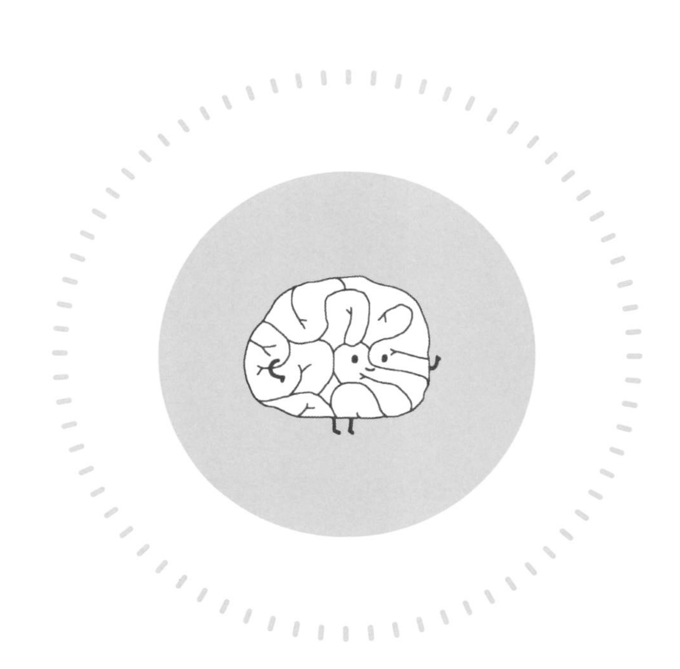

OUR BRAIN
行不行
大脑说了算
Lesson 9

大脑是身体的话事人，什么事儿它都能插上一脚。在性这个问题上，大脑更像是一个管家婆，它基本上包办了从性唤起到性结束的整个过程。所以说大脑是最大的性器官可不是糊弄人的。

从精神性阳痿说起

精神性阳痿，也是一种阳痿。这种“有心杀贼，无力勃起”的烦恼让许多男同胞们恨得咬牙切齿。

大脑损伤是精神性阳痿的罪恶元凶。

如果你不小心跌一跤，损伤了大脑的一些重要部位，那“丁丁”就很有可能变成植物人了。

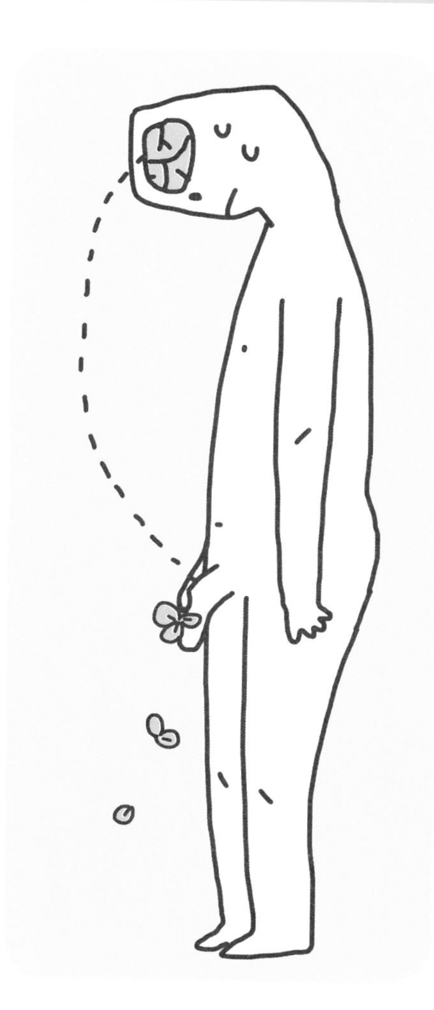

大脑边缘
系统受损

勃起或湿润，大脑说了算

大脑的一个重要作用是控制人的情感反应。比如说，你在野外看到一只老虎的时候，大脑会警告你，这玩意儿吃人，得赶紧跑。

在“爱爱”中，这种作用是非常强大的。大脑边缘系统能够让我们对各种场景作出正确的情感判断。

“爱爱”时

- 它会告诉“小妹妹”：该湿润了。
- 它会告诉“丁丁”：这是好事儿，该勃起了。

如果大脑出了问题，我们就不能对一些正常的刺激作出正确的反应。当性伴侣穿着情趣内衣的时候，受损的大脑可能会告诉你，这跟大妈穿件花外套没什么区别。自然而然地，它就会影响性趣了。

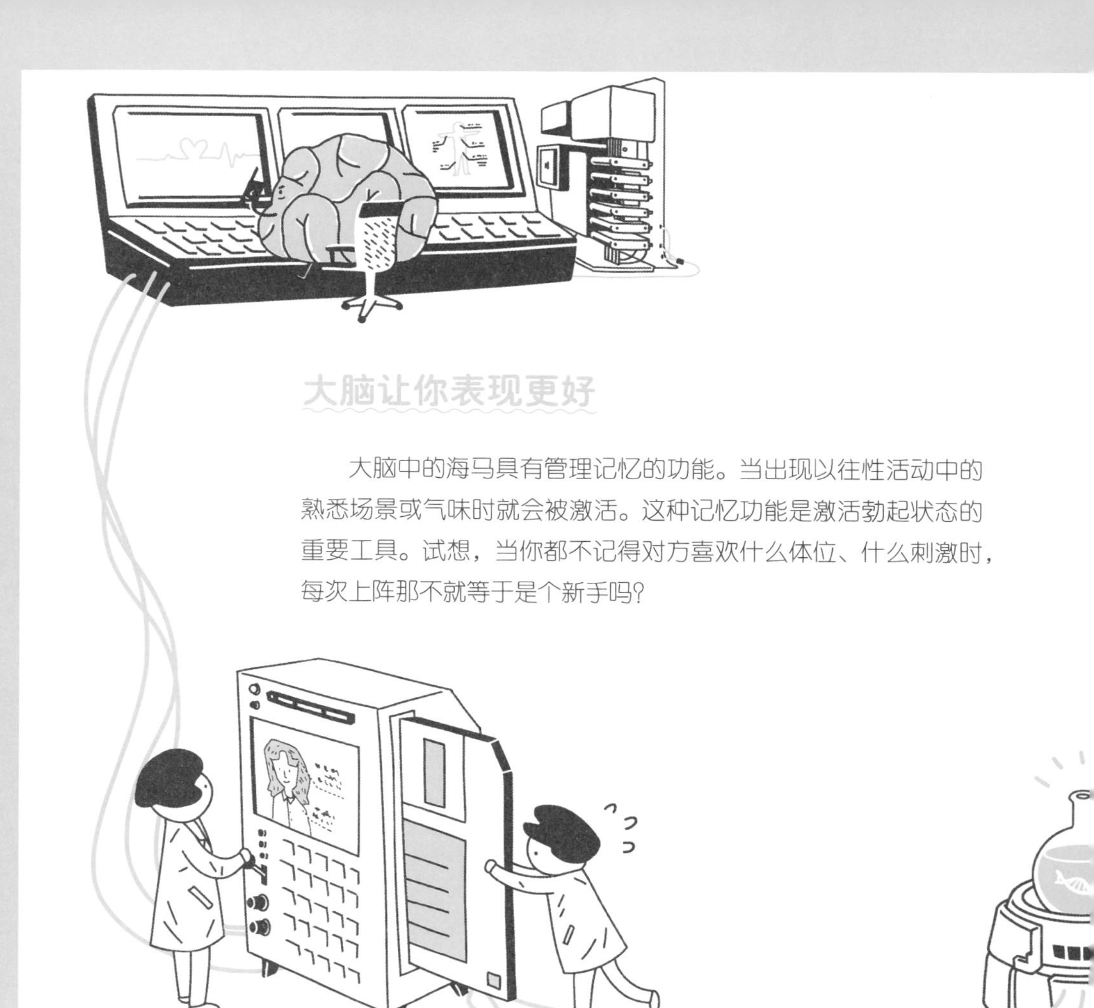

大脑让你表现更好

大脑中的海马具有管理记忆的功能。当出现以往性活动中的熟悉场景或气味时就会被激活。这种记忆功能是激活勃起状态的重要工具。试想，当你都不记得对方喜欢什么体位、什么刺激时，每次上阵那不就等于是个新手吗？

活塞运动靠小脑

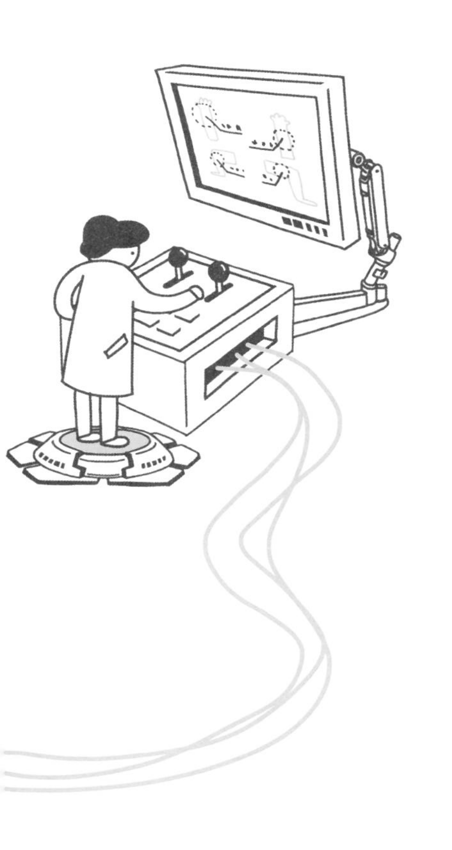

“爱爱”时的肌肉活动则是由小脑控制的，小脑也是维持身体平衡的重要器官。

由于酒精对小脑有麻醉作用，所以醉酒的人走起路来东倒西歪。

假如“爱爱”时小脑不起作用，别说体验高难度姿势了，就是动两下屁股都很难。

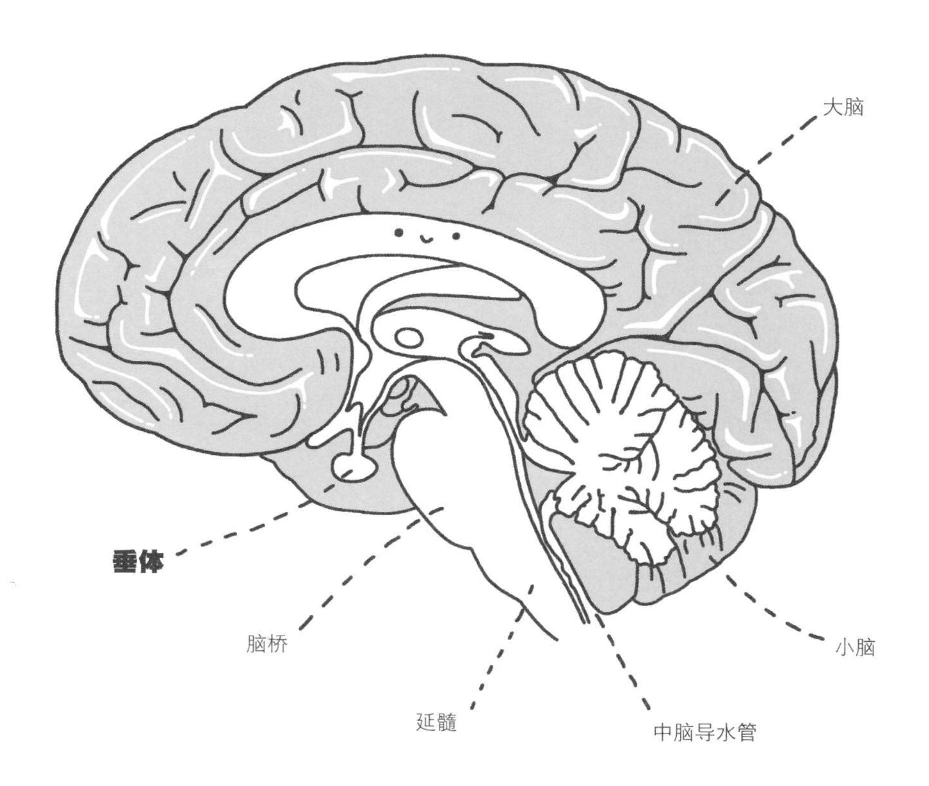
大脑
垂体
脑桥
小脑
延髓
中脑导水管

垂体：女性“爱爱”法宝

大脑中的垂体是分泌激素的重要器官。

它分泌的促性腺激素可以使男女的第二性征更加明显。

在“爱爱”时，它还会释放递质，减轻疼痛感，增强信任感和依赖感。这一点对于女性来说是十分重要的。

“爱爱”时女性的大脑活动比男性要多，她们的中脑导水管周围的灰质被激活，产生“战斗—逃避”的反应。

这种反应会让身体误以为这是一种危险的行为（或许这也是很多女孩子总是喊“我怕”的原因）。

而垂体分泌的递质能抵消这种反应。

“爱爱”时女性大脑中的杏仁核和海马的活力降低，这容易让她们产生一种焦虑感。

垂体能让她们相信“别担心，对方很可靠，是可以依赖的”。

有奖赏，才会去“爱爱”

“爱爱”时带来的满足感能够激活大脑中的眶额叶皮质，使人产生一种愉悦感，这就是一种奖赏机制。

“爱爱”是一种初级满足感

跟金钱、娱乐这种高级奖赏机制不一样，“爱爱”跟食物、睡眠一样，是一种**初级满足感**。这种满足感会让大脑产生愉悦感。

可别小看了这个作用，它是让人类世代繁衍不息的一个重要功能。试想，假如每次“爱爱”时都非常痛苦，甚至还流眼泪，那人类还会主动去繁衍后代吗?

必不可少的多巴胺

大脑分泌的多巴胺在“爱爱”中也能刺激奖赏回路。

从谈恋爱、到“爱爱”，多巴胺一直陪伴左右，它能让我们产生各种快感。而多巴胺水平的高低也决定了快感的强弱程度。

很多人结婚之后都会遭遇“七年之痒”，其原因就是多巴胺的分泌减少了。所以有人说，是多巴胺在决定“天长地久”啊!

在性高潮时，多巴胺会大量爆发，让我们进入一种如痴如醉的梦幻状态。科学家通过观察发现，性高潮时的大脑活动与注射海洛因后的大脑活动相似度高达95%。

game
movie
sport
WIN
sex
shopping
beer
GAP
cigarette
love
party

万恶的不应期

在性高潮后，大脑分泌的多巴胺开始锐减，另一种叫**催乳素**的东西就被释放出来了。如果把多巴胺比作是“爱爱”的油门，那么催乳素就是令人讨厌的路障了，因为它会让男人性欲下降，进入不应期。

不应期是对男生的一种强制性保护。在进入不应期后，“丁丁”很难再勃起，就算勃起了也不会射精。这套机制对于那些一碰上好玩的东西就容易上瘾的兄弟来说，是非常管用的，而女性是没有不应期的。

不应期的长短因人而异，短的几分钟就可以恢复，长的可能需要几天。男性在处于不应期时，性欲会大大降低，这时，他们会像一个正人君子一样，对“爱爱”没有兴趣。

男人在完事儿后，大脑对性刺激的感受会急剧降低。再加上体力的消耗，所以很多男生会在“爱爱”后倒头大睡。

有次柯立芝带夫人参观养鸡场，在看到养鸡场少得可怜的公鸡时，他问农场主："公鸡这么少，能保证每个母鸡都能生下可以孵育的鸡蛋吗？"

农场主一本正经地说："公鸡们每天要履行几十次职责。"

第一夫人在旁听到，打趣地对农场主说："请告诉柯立芝先生。"意思就是，你看看人家，一天几十次。

总统听到后，又问：“每次公鸡都为同一只母鸡服务吗？”

农场主说：“不，有许多不同的母鸡。”

柯立芝这下来劲儿了，对农场主说：“请转告柯立芝太太”。这意思是，你看人家，一天几十只。

用柯立芝效应为“爱爱”加分

不应期这种生理机制不只出现在人类身上，很多雄性动物在一次交配后也会进入不应期。很长一段时间内，人们都认为这是无法解决的难题，直到人们发现了柯立芝效应。

柯立芝效应的缔造者是美国的第三十任总统柯立芝。

有爱，大脑就能高潮

人们可以利用柯立芝效应的原理来应对不应期的影响。

比如玩玩角色扮演、营造特殊氛围、体验新奇姿势，这些方法都可以让多巴胺持续分泌。在这种情况下，大脑会被暂时欺骗，误以为有了新的交配机会，于是，就更加卖力了。

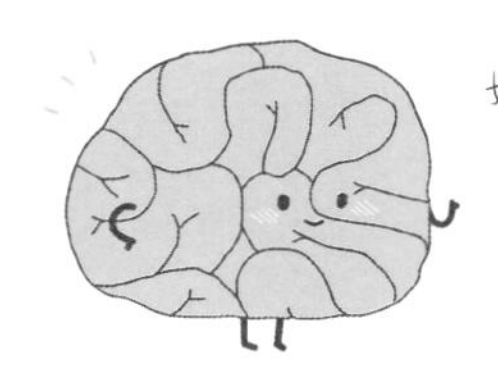

不管有多少新式玩法最终都会腻烦，作为高级灵长类动物，我们要多一点儿觉悟，不受单纯的生殖性欲支配去做爱，多培养与伴侣之间的感情，让神经化学递质保持在一个平衡的状态，就能够享受到更美妙的“爱爱”。

这是大脑留给我们的最后一张牌：

只要两人爱得足够浓，高潮根本就不是事儿。

扫一扫

?

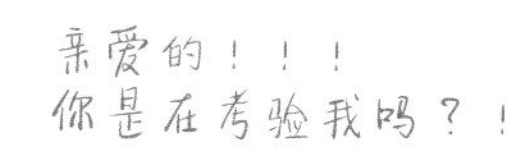
亲爱的！！！
你是在考验我吗？！

扫一扫

天干物燥，小心得病！
更

HI, STDS
性病究竟
是个啥
Lesson 10

“爱爱”是一件令人身心愉悦的事，它是每个人生活中的重要组成部分。

但“爱爱”也是有很多风险存在的，这其中就包括性病感染。

若想拥有绝佳的“爱爱”体验，又远离性病，那就必须要多长点儿知识。

寻花问柳之病

对于 80 后这一代，性病的概念多来自电线杆。无论是在城市还是乡村，我们总能发现在一些电线杆上贴着的小广告，上面一般写有**“祖传秘方，专治梅毒、淋病、尖锐湿疣”**等字样。在我们不懂后面那几个名词的意思的时候，可能也是我们离它们最远的时候。

但现在我们知道了，那几个生僻的名词其实就是性病。

性病，也称“性传播疾病”，古人叫它“花柳病”，它指的是以性行为为主要传播途径的一类传染病，主要病变发生在生殖器部位。

病人称之为“难言之隐”，医院把它们当成疑难杂症。那么，性病到底有多可怕呢？

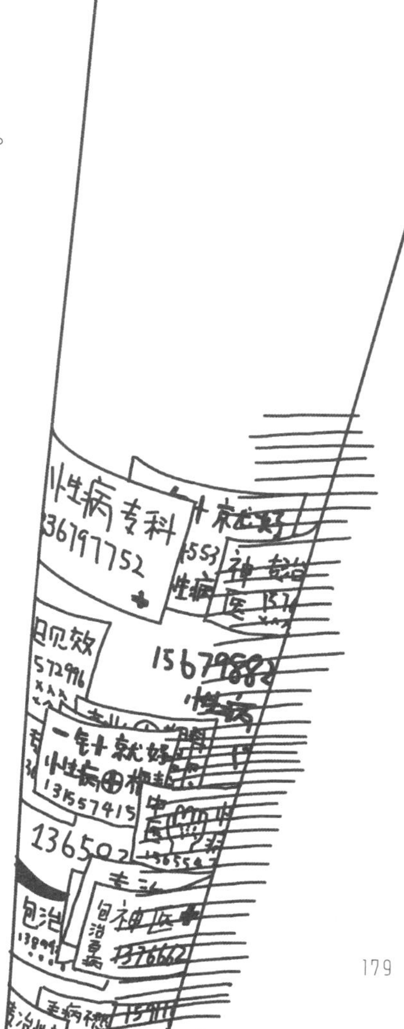

性病在人类文明史上的缩影

我们以性病中的大咖——梅毒为例。

1459年，法国国王查理八世攻占了意大利的那不勒斯。正在他沾沾自喜时，军队的医生却告诉他，很多士兵身上长满了脓包，奇臭无比。当时医生们也不知道这是什么病，因为所有的医学典籍里都没有关于这种疾病的记载。

由于当时没什么药物防治，梅毒致死率很高，最高可达58%，而且容易导致许多并发症，让各国人民恨之入骨。

后来，遥远的亚洲人民也开始躺枪。由于当时正处在大航海时代，西方的船队经常开到东方做贸易。那些染了病的水手就把梅毒带到亚洲来了。

梅毒这名字听起来还算带点儿诗意，但它可不是什么善主。

梅毒发作的表现为皮疹、皮肤溃烂等，最初集中在生殖器部位，然后会扩大到身体其他部位。如果不及时治疗，梅毒在晚期还会侵犯大脑中枢神经系统，造成精神异常。

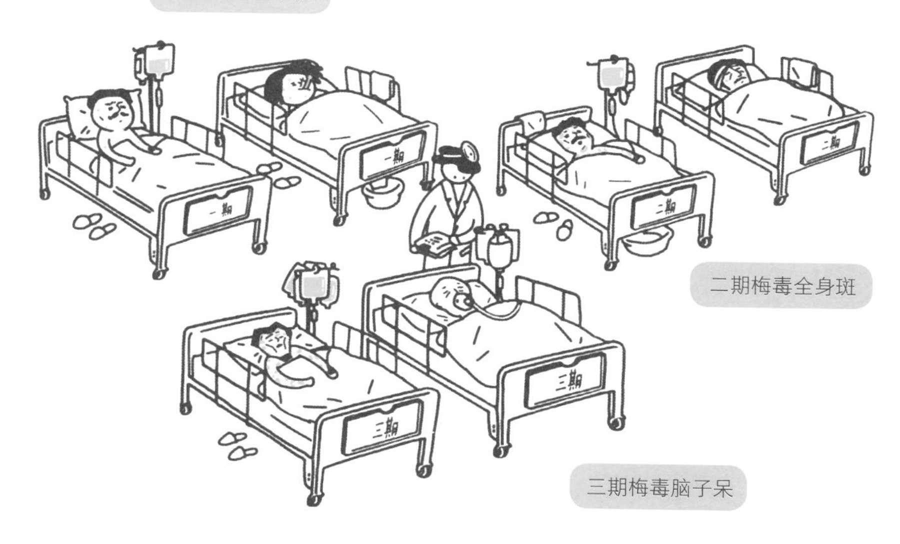

扫一扫
细菌乐队

性病的主要种类

梅毒只是性病的一种。广义的性传播疾病包含所有通过性接触、体液交换传播的疾病，比如乙肝等。但通常我们讨论的性病，主要分为以下五类：

病毒性

如尖锐湿疣（HPV 感染）、生殖器疱疹（HSV 感染）、艾滋病（HIV 感染）。

衣原体／支原体

如性病性淋巴肉芽肿（沙眼衣原体感染），非淋菌性尿道炎（沙眼衣原体、解脲支原体感染）。

螺旋体

如梅毒（苍白螺旋体感染）。

细菌性

如淋病（淋病奈瑟菌感染）、软下疳（杜克雷嗜血杆菌感染）。

寄生虫

如疥疮、阴虱。

我国目前重点防治的性传播疾病有八种。

1. 梅毒 2. 淋病 3. 软下疳 4. 性病性淋巴肉芽肿

5. 生殖道沙眼衣原体感染 6. 尖锐湿疣

7. 生殖器疱疹 8. 艾滋病

性病是如何传播的

性病的传播途径主要有以下四种：

性行为传播

所谓性行为主要包括接吻、触摸、拥抱、性交等。其中，性交是性疾病的主要传染途径。

间接接触传播

人与人之间的非性关系的接触传播，相对来说还是比较少见的。但某些性传播疾病，如淋病、滴虫病和真菌感染等，可以通过毛巾、浴盆、衣服等生活用品传播。

血源性传播

梅毒、艾滋病、淋病均可发生病原体血症，如受血者输了这样的血液，可以发生传递性感染。

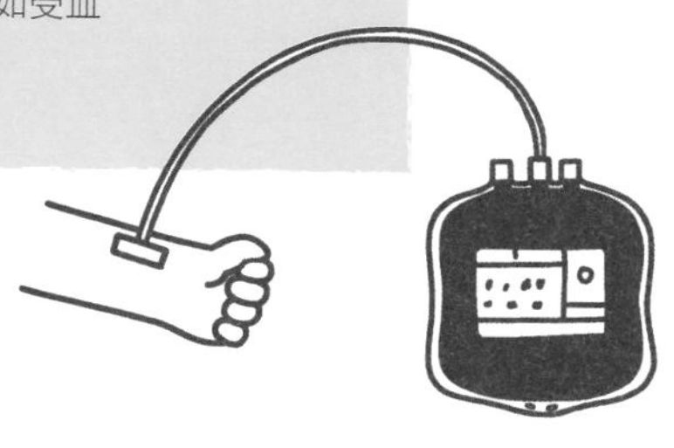

母婴传播

通过胎盘传播给胎儿。梅毒、艾滋病大多存在母婴传播的危险。

艾滋病是什么

艾滋病发现于非洲。不仅在人类体内，在猩猩体内也发现过艾滋病病毒。

从 1985 年我国出现第一例艾滋病病例之后，

我国的艾滋病病毒感染者已经超过了 50 万人。

艾滋病是由感染 HIV 引起的。HIV 是一种能攻击人体免疫系统的病毒。

HIV 会把免疫系统中最重要的 T 淋巴细胞当成死敌，大量破坏该细胞，使人体丧失免疫能力。在没有了这种免疫能力后，身体就等于不设防了，各种疾病或者感染就会趁虚而入，病死率非常高。

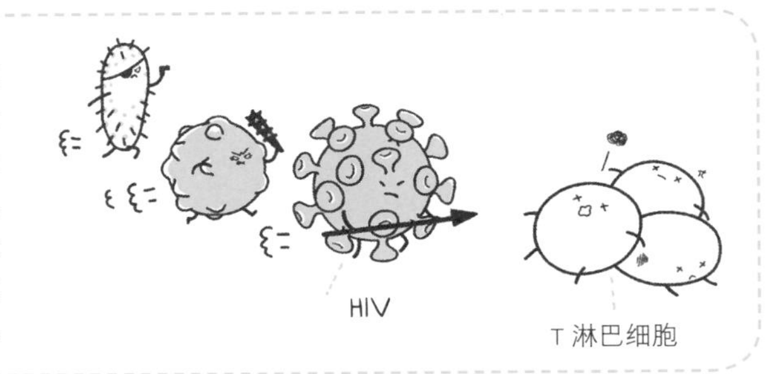

虽然全世界众多医学研究人员付出了巨大的努力，但至今尚未研制出根治艾滋病的特效药物，也还没有可用于预防的有效疫苗。艾滋病已被我国列入乙类法定传染病，并被列为国境卫生监测传染病之一。

感染 HIV 后的症状

感染 HIV 后，最开始的几年甚至是十几年都可能没有任何临床表现。一旦发展为艾滋病，病人就可以出现各种临床表现。

初期的症状与普通感冒、流感相似，如全身疲劳无力、食欲减退、发热等。

病情加重后，症状逐渐增多，如皮肤、黏膜出现感染，出现单纯疱疹、带状疱疹、紫斑、血疱、淤血斑等。

随着 HIV 病毒渐渐侵犯内脏器官，出现原因不明的持续性发热。

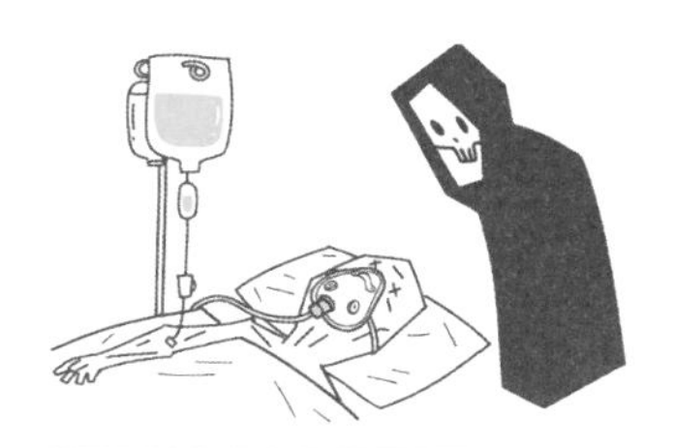

还可出现咳嗽、气促、呼吸困难、持续性腹泻、便血、肝脾肿大、并发恶性肿瘤等。

预防性病

无论居家还是在外旅行，私人用品不共用。外出时选择正规酒店，洗漱用品尽量自带。

像剃须刀、刮毛器、按摩棒什么的，使用自己的，不要外借。

注意个人卫生：私人用品单独使用。

有些性病，例如淋病、尖锐湿疣，在性器官或阴部皮肤产生接触时也会感染。因为安全套并不能完全包裹住“丁丁”，像“蛋蛋”什么的，在“爱爱”时就很容易把脏东西甩到“小妹妹”上或者其他什么东西上。

扫一扫
DrG

扫一扫
明白小乐队

♫ 大姨妈之歌

作词｜陈曦 李沁遥
作曲｜陈曦
演唱｜明白小乐队

大姨妈
每个月都来的大姨妈
只要遇见了大姨妈
我的心情很复杂啊

大姨妈
有她肚子痛我手发麻
没有她我变成老干妈
她大姨妈

大姨妈
人人都要敬畏大姨妈
她的威力到底有多大
等着瞧吧
啦啦啦啦啦啦啦～
大姨妈！

图书在版编目（CIP）数据

明明白白我的性 / 明白学堂著. -- 北京：北京科学技术出版社, 2016.9
ISBN 978-7-5304-8510-1

I.①明… II.①明… III.①性知识-图集 IV.①R167-64

中国版本图书馆CIP数据核字(2016)第178975号

明明白白我的性

作　　者：明白学堂
策　　划：陈瑶@夏日星　徐艳硕
责任编辑：刘　宁
责任校对：贾　荣
责任印制：吕　越
封面设计：胡靳一
版式设计：胡靳一　陈瑶@夏日星
图文制作：陈瑶@夏日星
出 版 人：曾庆宇
出版发行：北京科学技术出版社
社　　址：北京西直门南大街16号
邮政编码：100035
电话传真：0086-10-66135495（总编室）
　　　　　0086-10-66113227（发行部）
　　　　　0086-10-66161952（发行部传真）
电子信箱：bjkj@bjkjpress.com
网　　址：www.bkydw.cn
经　　销：新华书店
印　　刷：北京捷迅佳彩印刷有限公司
开　　本：1000mm×710mm 1/24
字　　数：150千字
印　　张：8.5
版　　次：2016年9月第1版
印　　次：2016年9月第1次印刷
ISBN 978-7-5304-8510-1/R·2132

定　　价：68.00元

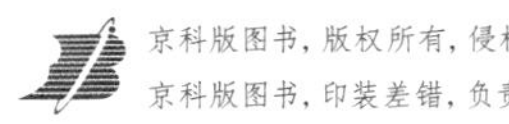

给爸爸妈妈的青春期性教育指导手册

关于《明明白白我的性》AR 使用的两点说明

1. 因书中“使用说明”部分提到的“CandyBook”App，会不断进行软件更新，所以在实际使用中，可能会与“使用说明”中的步骤略有出入。请在使用时根据 App 的提示，找到《明明白白我的性》一书对应模块来进行 AR 内容的识别扫描。

2. 书中第 25 页、35 页、96 页及 105 页中，虽然带有 AR 扫描标识，但是在后期试读测试时存在内容争议，因此 AR 内容被撤掉。对此给您带来的不便，我们深感抱歉。

目录

亲爱的爸爸妈妈：

祝贺你们的孩子已经进入了人生中最重要的一个时期——青春期。在这一阶段，孩子将要经历人生的第二个发育高峰期，会从身体到心理完成从儿童到成人的过渡，性发育的成熟是青春期的重要果实。

对很多父母来说，性教育是一件难以启齿的事情。在孩子的成长过程中，有些家庭可能从未进行过性教育，很多爸爸妈妈在面对青春期的孩子时会感到不知所措。虽然不想说，但理智上又觉得不得不和孩子讲一些和“性”有关的话题。那么，就让《明明白白我的性》这本书成为爸爸妈妈轻松开始青春期话题的小助手吧。

我们将在这本指导手册中帮助爸爸妈妈了解青春期，并指导大家使用《明明白白我的性》与孩子开启青春期性教育的话题。希望每个孩子都能健康快乐地长大成人。

1. 你的孩子进入青春期了吗？

在《安妮日记》中，安妮在 1944 年 1 月 5 日的日记里写道：

“我觉得我身上正在发生的变化很神奇，不仅是肉体上的，还有心理上的。我从未跟别人讨论过这一类的事情，所以只好自己和自己来讨论这一切。

每次我来月经，目前为止只有 3 次，我都有一种甜蜜的神秘感。尽管很疼，不舒服，也不干净，虽然从某方面来说它只为我带来麻烦，但我总在期待着再次体会那种甜蜜的神秘感。”

写这篇日记时，安妮 13 岁。从她的描述中可以看出，安妮已经进入青春期。

青春期一般以性发育为标志，如女生乳房发育、男生长出胡须。所以我们把青春期一般定义在 11 岁到 19 岁或 20 岁。不过现在有越来越多的孩子在更小的时候就出现了身体的变化，所以这里讲的是一个大致的年龄范围。

儿童 - - - - - - - - - - - > **青春期** - - - - - - - - - - - > 成年

9 岁至 14 岁半时开始快速发育

（一般是 10 岁左右）

10 岁半至 16 岁时开始快速发育

（一般是 12 岁或 13 岁）

性发育期大概持续 4 年，青春期大概持续 10 年
也就是说，在青春期前几年，性发育基本成熟

1.1 青春期身体的变化

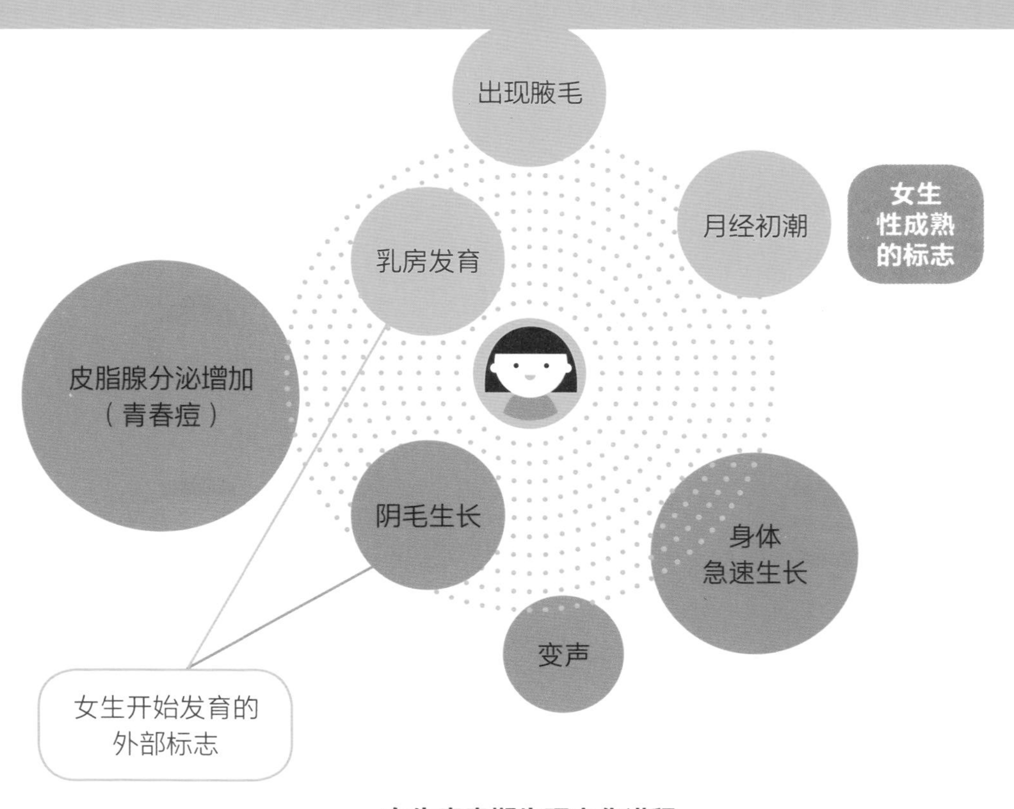

女生青春期生理变化进程

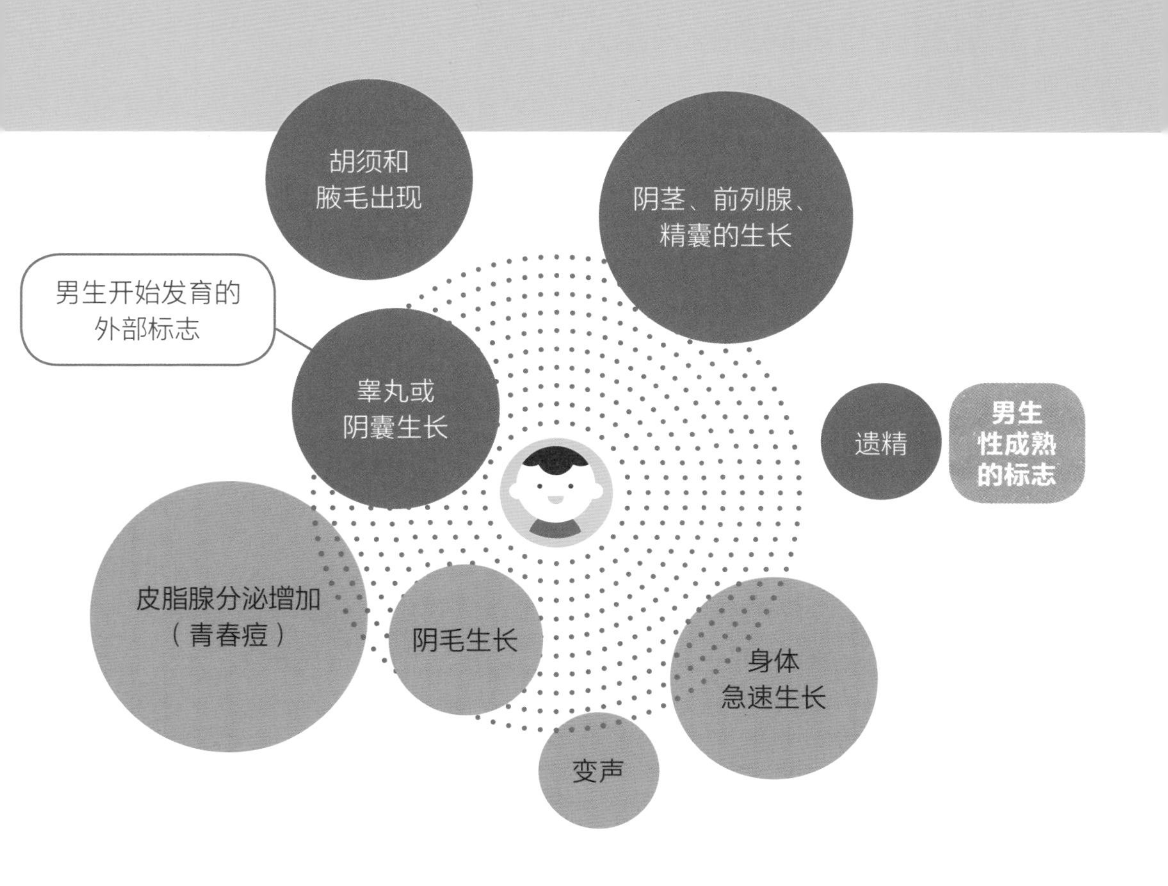

男生青春期生理变化进程

1.2 为什么青春期是叛逆期?

为什么我们常常会用“中二期”或“叛逆期”形容处于青春期的孩子？因为青春期的孩子经常给人一种自我、情绪化、不服从父母或老师管教的印象。“只有我是对的”“没有人理解我”“大人以为我什么都不懂”……这是处于青春期的孩子典型的心理状态。

青春期以身体的快速发育为起点，大概经过 4 年左右性发育成熟。然而，性发育往往早于大脑的发育以及心理认知的成熟。由于现在人们营养水平不断提高，身体发育起始的平均年龄有逐渐早龄化趋势。性发育成熟与认知水平的不匹配是带来这种自我认知混乱与情绪控制困难的生理原因。

此外，生理的发育速度不同于其他人也会给孩子带来一些不安。这种不安在发育速度处于平均水平的孩子身上则少有发生。不是所有孩子都一定在青春期出现逆反，有些人则有可能在成人以后才出现逆反。

给父母的青春期亲子沟通建议

在青春期，无论男孩还是女孩，随着身体的发育，其心理上和情绪上都会发生变化。大多数情况下，孩子的心理成熟程度远不及身体的成熟度，有时会因此与家人发生冲突。作为父母，需要了解这个时期的特点，陪伴孩子一起度过青春期。

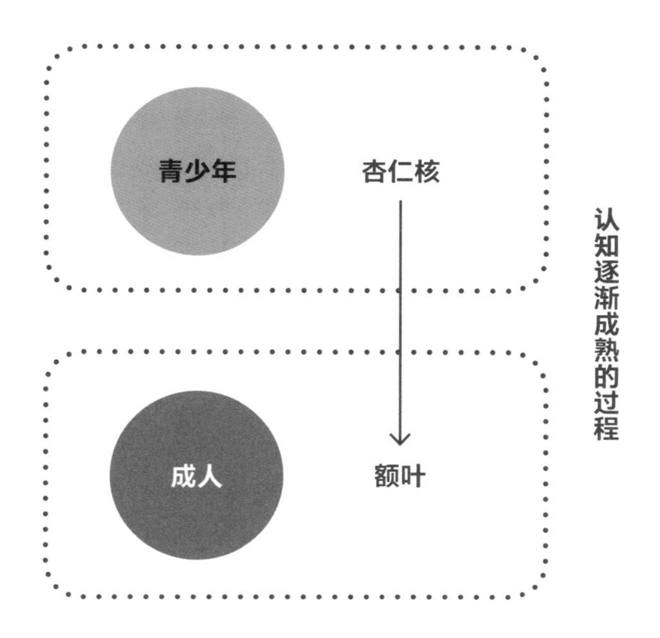

青少年主要用大脑中的杏仁核来处理信息，杏仁核与情绪和本能反应有关；而成人由大脑中的额叶部分来处理信息，额叶掌管计划、关系、情绪控制等，所以青少年没有成人控制情绪的能力。

1.3 青春期是自我认同的关键时期

孩子在 6 岁之前的迅速发育期，经历了第一阶段的自我识别。我是男孩还是女孩，我从哪里来，我与世界的关系——这些是婴幼儿阶段自我识别的主要内容。

到了青春期，孩子开启了第二段快速发育期，而且随着身体的显著变化，对男性和女性的认识更加深入，性别识别开始逐渐趋于成熟。性取向在这个阶段也经历着社会的认同与价值判断。

有调查表示，有同性性行为的男孩和女孩一般是从青春期开始的。但这并不意味着青春期有同性性行为，以后就一定发展为同性恋，因为这一时期孩子还处于探索与识别的过程之中。

总之，受青春期激素水平变化的影响，性器官逐渐发育成熟，这同时也刺激着性心理的变化。对性的探索，包括对异性（或同性）的关注增加，对和性有关问题愈发感兴趣，这些表现都十分正常。青少年通过这种探索来对自己的身份（包括性取向）进行确认。如果自我认同与来自社会的认同没有冲突，那么青春期更容易平稳度过，逐渐形成成人的自我认同；而一旦探索被压抑，或者自我认同与社会认同之间出现冲突，则容易产生逆反、焦虑的情绪，甚至出现强烈的自我否定。

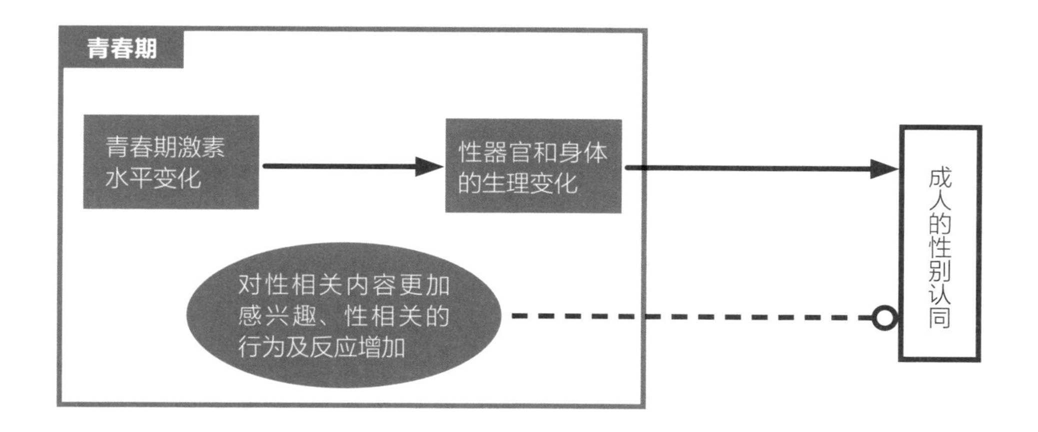

帮助孩子了解青春期身体的变化，理解青春期性心理的特点，如性梦的出现是正常的，不用对此产生羞耻感或恐慌。无论是对同性还是异性，要懂得人与人相处是以了解身体的界限、尊重别人为前提的。

曾经有位妈妈说，她的儿子很喜欢拧她的胳膊，她感到不舒服但不知道怎么办。其实这个问题很简单，作为妈妈，如果是另一个同龄的男孩对你这么做，你会怎么做呢？一定会拒绝，并说出自己的感受。不要因为是自己的孩子，就可以与父母没有身体界限，不尊重父母的本来意愿。

1.4 关注孩子的青春期生活

运动

我国处于青春期的孩子常常还是在中小学求学阶段，父母、学校与来自社会对于学生课本教育的重视往往远超过其他方面。随着课业负担逐渐加重，孩子不仅娱乐时间变得越来越少，体育运动时间更容易被压缩甚至忽略。这种情况下会催生出越来越多体重超重的孩子。虽然一定的脂肪含量对性发育十分必要，但是肥胖则会带来性功能发育障碍的风险。保持日常的运动是一种健康的生活习惯，对青春期的孩子来说十分重要。

睡眠

与运动问题类似，睡眠也是经常被忽略的问题。虽然与幼儿时期相比，进入小学以后的睡眠时间适当减少很正常，但实际情况却是，学生睡眠时间越来越少。随着年龄增大，进入睡眠的信号——褪黑激素的分泌时间向后推迟，学生晚上入睡时间也较晚，不过睡眠时间总量并不应该大幅减少。青春期每天保持 9 个小时以上的睡眠时间是必要的。睡眠不足会导致或者促使青春期情绪不稳定等问题的发生。

烟酒

青春期开始后 4 年，虽然性发育基本成熟，但是大脑发育并未成熟。烟草和酒精的摄入对大脑发育会产生负面影响，尤其是酗酒，会让大脑认知损伤，从而降低记忆力、认知能力，以致于影响学习和生活，甚至出现安全危险。因此在青春期，青少年不应该吸烟、饮酒，也应避免含酒精的饮品。

在一些西方国家，毒品易于获取，而毒品对大脑并未发育完全的青春期孩子而言更应该禁止。

抑郁症

导致青春期死亡的一个主要诱因是抑郁症。2005 年关于“美国药品使用和健康调查”显示，在 12~17 岁的孩子中，9% 患有严重的抑郁症，其中只有 40% 接受过治疗。人们对抑郁症仍旧存在误解，抑郁症的表现不一定是悲伤，还可能是易怒、烦躁，以及无法感受生活的快乐。

有抑郁症的症状要及时就医。同时，前面所讲的运动、睡眠、远离烟酒等，也有助于避免和缓解抑郁症的症状。

2. 让青春期性教育轻松开始

2.1 性教育包括哪些内容？

依据由联合国教科文组织（UNESCO）委托编写、2010 年出版的《国际性教育技术指导纲要》，以及美国早期儿童性教育工作组（Early Childhood Sexuality Education Task Force）1998 年所编写的《正确开始：从出生到 5 岁性问题指导方针》，性教育大概分为以下 6 个方面的内容。

1 **我和我的身体**

科学认识自己的身体结构。了解自己从哪里来，知道青春期身体的自然变化。

2 **我的性好奇心**

有对自己身体与对其他人身体的好奇心是正常的，性探索也是自然的。不过要了解人与人之间有身体界限。

3 **如何对别人说“不”**

学会拒绝。遇到霸凌等社会冲突时知道如何处理。

4 我的家与亲密关系

父母作为安全基地，是亲密关系建立的关键。亲密关系对孩子性格的后天形成会产生长远影响。幼儿时期亲密关系的建立，以及家庭关系，均会影响青春期孩子的发育与成长。

5 我要学会表达与沟通

我有时很开心，有时很难过。我愿意想办法交流、协商解决我遇到的问题。在青春期我可能产生困惑，感觉压抑，但是我愿意表达出来，寻求帮助。

6 我们的不同与相同

无论男孩还是女孩，无论黄皮肤还是黑皮肤，无论健康还是残疾，都应该得到尊重。探索自我同一性，包括对自我身份的认同，是青春期的主要课题。

可见，性教育不只是对身体的认知或者避免过早发生性行为的教育，它是围绕以上 6 个部分的内容进行的。其中，与我们以往对性教育的认知显著的不同是，性教育不仅包括性知识的教育，还有性价值观的教育。

2.2 什么是恰当的性教育？

只了解性教育涵盖的内容还不够，还要了解怎么进行性教育才是恰当的。

恰当的性教育

在传递**正确的性知识**与**健康的性价值观**时，需要采取多样化的教育方式，不仅是单向地传递知识，也要从个人的角度考虑，内化到自己身上。对于未成年人（18 岁以下），要**强调延迟发生性行为**的年龄，同时也要告诉孩子**如何进行安全的性行为**。

关于对“恰当的性教育”的判断是随着人们对性的了解不断变化的，如今恰当的性教育强调“正确的性知识”与“健康的性价值观”要同时传递给孩子。对于具有正常认知水平的成人来说，正确的性知识是很容易从书本中获得的，而健康的性价值观常常因为一些刻板印象和固有思维成为性教育的难点。《明明白白我的性》这本书努力传达的就是这样的内容，不仅有正确的性知识，还启发读者去思考健康的性价值观。

因为性教育并不是标准化的知识教育，每个孩子只有通过自己的思考得出属于自己的性价值观，才能做到“内化到自己身上”。

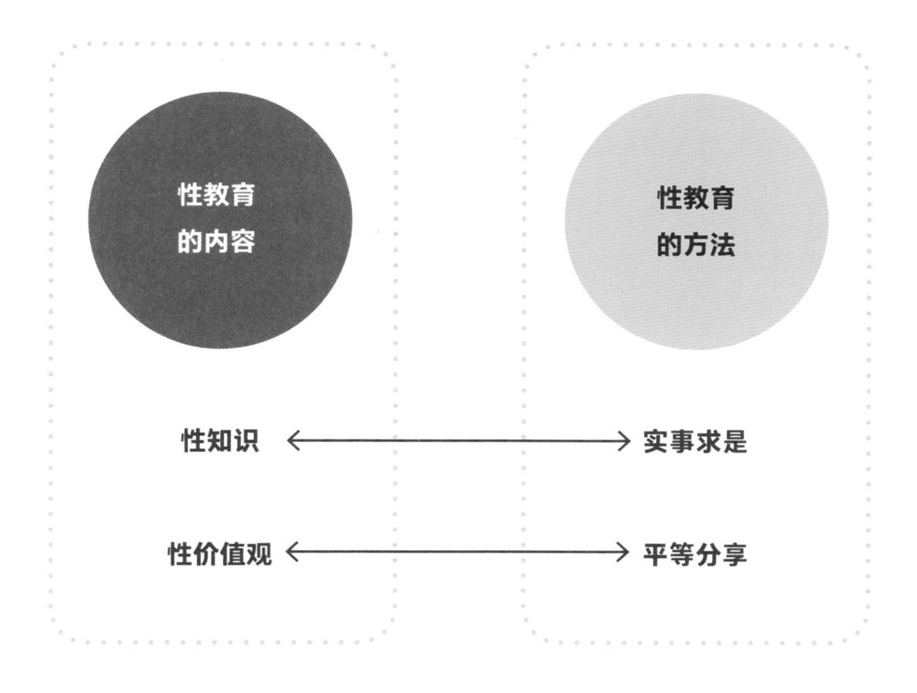

性教育的方法其实很简单：对于性知识采取实事求是的态度，不回避；对于性价值观，采取平等分享的态度，不灌输。

2.3 青春期前应该了解的事情

性教育从出生就开始了，所以爸爸妈妈最好在宝宝出生之前就对性教育有所了解，这样当宝宝降生，性教育就可以作为家庭教育的一部分慢慢地、自然而然地渗透到生活之中。很多性教育中的尴尬问题都是因为从未在家中进行过性教育。

性教育不只是孩子的教育，更是父母的教育。性教育的缺失主要因为父母的忽视。在青春期之前，孩子与父母都需要对一些性知识有基本的认知。

1 认识自己的身体，了解异性别的身体
知道隐私部位，懂得人与人身体的界限

常见问题

① 只知道自己的身体部位，对异性别的身体不了解。家庭性教育回避了异性别身体的学习认知。

② 对身体的隐私部位没有概念，随意在公共场所暴露性器官。

③ 和他人没有身体的界限，随意进行身体接触。不懂得尊重别人的隐私。

2 了解“我从哪里来”
青春期前应逐渐对这个问题有全面科学的了解

常见问题

① 完全不知道“我从哪里来”，父母没有讲过，也从来没有产生好奇。

② 对“我从哪里来”的认识是错误的，大多数因为被灌输了错误概念。

③ 知道“我从哪里来”，但对科学过程仍然不完全了解。

3 预防性侵犯教育是性教育的一部分
预防性侵犯以父母具有防范意识为主

常见问题

① 父母认为预防性侵犯教育就是性教育，忽略性教育的其他部分，但预防性侵犯教育与性教育的其他部分是紧密相连的。

② 父母与孩子沟通不顺畅，孩子遇到问题无法做到马上与家长沟通，这是预防性侵犯教育中另一个常见的问题。

2.4 青春期性教育有什么特别之处?

我们在《给爸爸妈妈的儿童性教育指导书》中指出，性教育应该从出生就开始。这不仅是因为性教育是生活中的教育，更是因为性教育是在父母与孩子可以顺畅沟通的前提下进行的。如果一个家庭在性教育的问题上有正常顺畅的沟通状态，那么孩子到了青春期时，性教育的进行其实不会出现特别需要注意的地方。沟通的顺畅不是一天两天的结果，而是长年累月的积累。

因此，就性教育的方法而言，并不存在青春期性教育的特殊方法。青春期性教育与其他阶段（如 6 岁前的性启蒙教育）只有内容上的不同，这些不同主要来自于孩子的成长。

随着年龄的增加，孩子的认知水平在不断提高，所以从性教育的内容看，性知识与性价值观应不断更新内容（如月经、遗精是怎么回事），以及讨论更复杂的话题（如如何看待性行为）。

此外，按照“恰当的性教育”的定义，到了青春期我们才需要和孩子强调延迟初次性行为的年龄，以及如何进行安全的性行为。

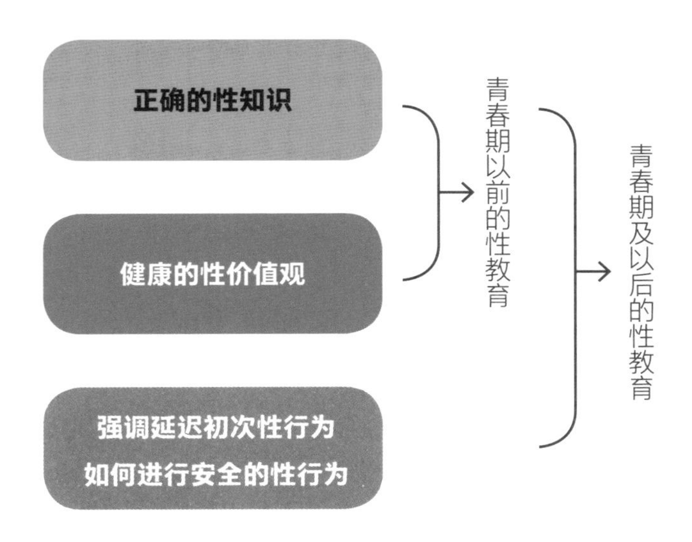

在强调延迟初次性行为与如何进行安全的性行为时，父母要做的不是制止与规定。对青春期的孩子来说，强制规定反而会使其产生逆反心理。父母需要像对待成人那样与孩子平等沟通，讲清楚为什么要延迟初次性行为，以及如果发生性行为为什么要注意安全。要相信孩子可以进行理性思考，也能一起讨论过早发生性行为的后果与责任。

2.5 青春期性教育何时开始？由谁来交流？

青春期性教育何时开始？

很多父母看到孩子已经进入青春期，身体已经出现发育成熟的标志时，才开始考虑对孩子进行青春期教育。还有父母，在发现孩子偷偷在日记里写“我想谈恋爱”时，才意识到一定要做点儿什么。

事实上，孩子青春期的身体发育在性成熟之前就已经开始了，所以关于青春期身体变化的内容，可以在青春期之前，或者刚有一些迹象，比如孩子长腋毛或阴毛的时候就开始和孩子讨论。很多男孩或女孩在第一次发现遗精或月经时都很恐慌，有的女孩觉得自己可能得了绝症。如果在这之前孩子就已经有所了解并做好了心理准备，这种不必要的恐惧完全可以避免。

青春期性教育由谁来交流？

曾经有一位妈妈很焦虑地问，自己的儿子好像进入青春期了，她认为应该和儿子讲点儿什么，但不知道是爸爸说好还是妈妈说好。爸爸从来没有参与过孩子的教育，也很难转变爸爸的态度，不知道怎么办。

男孩或者女孩，到底由父母谁来交流？这个问题我们可以从到底交流什么这个角度来思考。我们书中介绍的这些与身体发育相关的知识，爸爸或妈妈都可以与孩子交流。不过爸爸与男孩，或妈妈与女孩交流时，还可以分享自己的亲身体验。

比如，男孩可能对遗精感到难为情，这时候爸爸可以告诉儿子自己小时候是什么心情，以及之后是如何转变了想法的，或者现在如何看待遗精这件事。这样的分享没有标准答案，关键是说说自己的经历。同样的，妈妈也可以和女儿讲自己月经初潮时发生的事情，甚至是一些不好的感受也可以讲，当然还有自己如何处理月经期身体和情绪问题的经验等。

当然，这不意味着只能由同性别的家长对孩子进行青春期的性教育，如果爸爸妈妈能够一起和孩子聊聊，还能让孩子了解不同性别的视角。如果爸爸不参与家庭教育，一方面妈妈要不断尝试和爸爸沟通，努力改变爸爸的想法；另一方面，如果实在因为一些客观原因爸爸或妈妈没有办法参与，可以寻找与缺位家长同性别的其他亲友来交流，也可以和孩子一起看有相关内容的图书弥补这部分的缺失。

3. 这本书讲了哪些内容？

这本《明明白白我的性》主要讲了孩子进入青春期以后相关性最高的主要性知识。这本书把精子拟人化，化身为王小明，把性教育这件看似难以启齿的事情变得轻松有趣。

性知识的传递难点不在于知识本身，而在于谈论性知识时的态度。所以希望这本书可以帮助大家对性知识有全新的认知："哇！性教育还能这样进行！"就像我们在扉页上写的口号一样：**大胆谈性，认真说爱**。

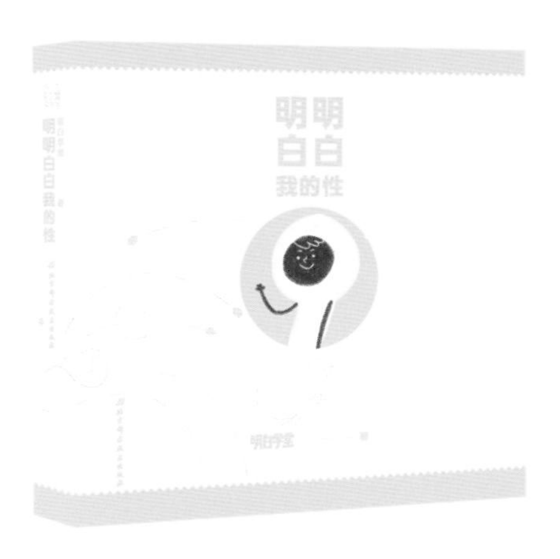

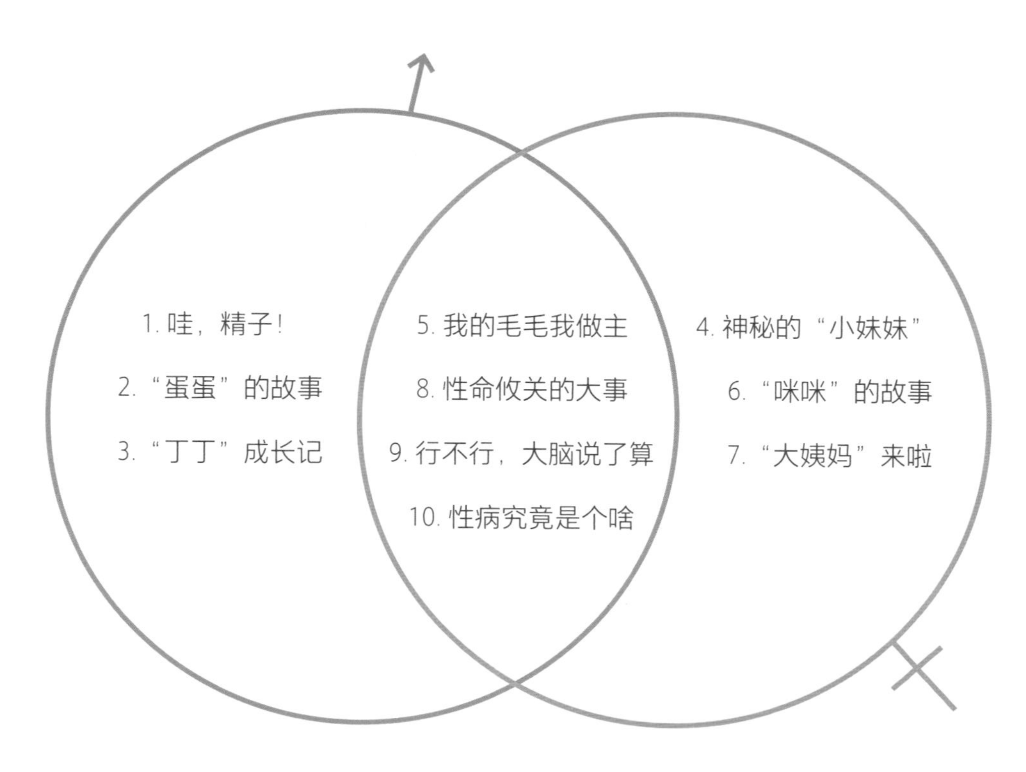

《明明白白我的性》包括 10 个方面的内容

3.1 与男孩青春期有关的内容

与男孩青春期最直接相关的生理变化是：

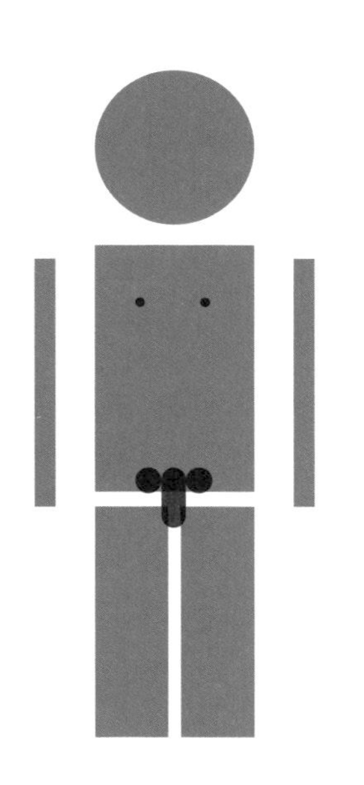

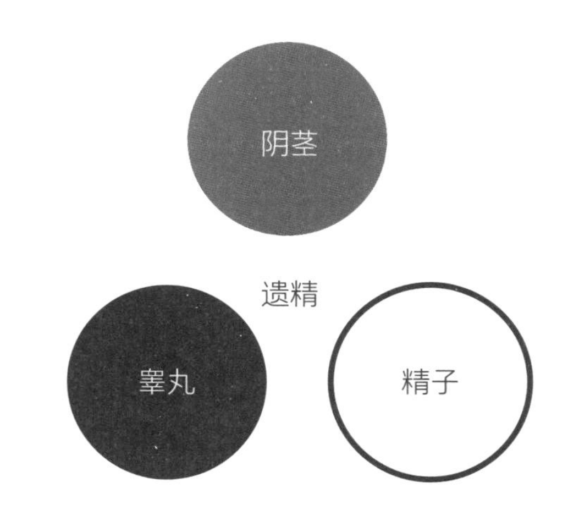

随着青春期体内性激素的增加，尤其对男孩来说，雄性激素分泌达到高峰，这促进了男孩性器官的发育，出现遗精标志着性发育成熟。

可以在书中了解到的性知识

精子是如何被发现的?	认识“蛋蛋”(睾丸)	认识“丁丁”(阴茎)
认识精子与精子产生的过程	“蛋蛋”的功能	割包皮是怎么回事?
对精液的一些谣言	适合“蛋蛋”的温度(养成健康的生活习惯)	“丁丁”别攀比

可以和孩子分享的性价值观

书中围绕 3 个方面主要进行了科学的性知识介绍，同时也从科学的角度对一些传言进行了更正。其中一些传言也是青春期孩子经常担心的问题，比如:

- “一滴精十滴血”是真的吗?
- 阴茎越大性能力越强吗?
- 为什么男孩不适合穿紧身裤?

在回答孩子的这些困惑时，家长不仅可以告诉孩子科学的性知识，也可以与孩子探讨美与丑、性能力高低对一个人评价的影响等。这些问题没有标准答案。

3.2 与女孩青春期有关的内容

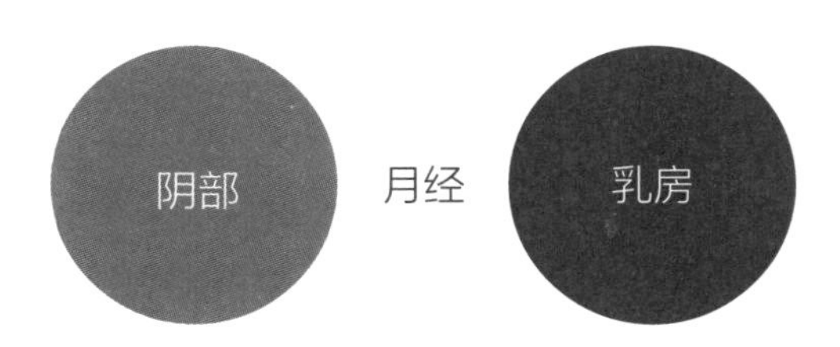

随着青春期体内性激素的增加，尤其对女孩来说，雌性激素分泌达到高峰，促进了女孩性器官的发育，月经初潮标志着性发育成熟。

可以在书中了解到的性知识

阴部的结构

处女膜是怎么回事？

月经是怎么产生的？

认识乳房

丰胸是怎么回事？

如何挑选内衣？

可以和孩子分享的性价值观

很多女孩在成长过程中遇到的最普遍的性别歧视，其实是由青春期发育时身体的变化带来的。尤其是那些发育早于同龄人，又或是胸部发育得比较明显的女孩，青春期可能会留下心理阴影。

在和孩子共读书中关于女性身体的性知识时，更加建议父母，尤其是母亲和孩子探讨分享以下问题：

- 来月经的感受，妈妈自己是如何面对痛经，以及如何处理经期的小意外的。
- 胸部大小与美丑的关系。女性的美是如何定义的？
- 为什么一些人会有处女情结？

国内女性在来月经时大多选择使用卫生巾，而在西方国家，女性使用卫生棉条是非常普遍的，这与中国人（无论男女）始终有处女情结有关。其实，月经对女性的影响不仅来自痛经，也由于经期处于担心意外出现的紧张情绪中。所以建议更多的女性选择使用卫生棉条，让经期不再成为麻烦的事情。

3.3 与男孩女孩都有关的内容

毛毛

可以在书中了解到的性知识

腋毛和阴毛是进入青春期的标志之一

毛毛的浓密与什么有关?

注意个人卫生

可以和孩子分享的性价值观

长毛难看吗? 需要去毛吗?

怎么选择去毛的方法?

这些开放性的话题特别适合亲子之间探讨。书中提供了很多关于毛毛的冷知识，希望读者可以换一种视角看待毛毛。

异性的青春期变化也要了解吗?

在这本书中，关于男孩女孩各自的青春期生理变化的内容没有按性别分册。这主要是因为，大部分关于异性的知识也是需要了解的。像男生会遗精，女生会来月经，这些内容可以加深两性对彼此的了解。

曾经有个六年级的男孩，因为不知道女生用的卫生巾是做什么用的而被同学嘲笑，回家后呜呜大哭。有些养育男孩的家庭，妈妈会有意在月经期间把卫生巾藏好，不想被儿子看到。一方面觉得不好解释，另一方面大概也觉得这是一件难以启齿的事情。

孩子不是成长在真空中，总有一天他会看到世界的真相。最好的成长环境应该是真实的、自然而然的。妈妈是女生、会来月经这件事，让孩子在家庭生活中去了解是最不突兀的教育方式。在与男孩交流这件事时，妈妈还可以分享自己来月经的感受，为男孩以后接触女性、理解女性、温柔善待女性做好准备。

预防性病与安全的性行为

可以在书中了解到的性知识

安全套发展史

如何避孕？如何正确使用安全套或服用避孕药

性病是怎么回事？艾滋病是如何传播的

可以和孩子分享的性价值观

尽管我们在对“恰当的性教育”的描述中提出要推迟青少年发生初次性行为的时间，但是我们也必须承认如今青少年更早开始尝试性行为。因此，我们也要把如何进行安全的性行为作为青春期性教育的重点。与此同时，我们可以和孩子探讨性与爱的关系，性行为会产生的结果，怎样做才是爱的表达。

青少年主动避免性行为的原因

由左图可见，如果我们在青春期性教育中把性行为可能引发的结果开诚布公地与孩子进行探讨，会帮助孩子判断并做出最有利于自己的选择。

不过随着社会对性的态度的逐渐开放，有调查显示，中国人初次发生性行为的平均年龄已经从“80 后”的 22 岁以上，降低到“95 后”的 18 岁以下。因此，对孩子的性教育，尤其是如何进行安全的性行为的教育要尽早进行。

本书第 184 页有一幅表现口交的插图，第 188 页也强调了不要和陌生人口交，加入这些内容是因为一些青少年对性行为的认识狭窄，甚至不知道口交同样属于性交。我们在书中强调了与陌生人口交的危险性，这是与导致意外怀孕不同的危险。这部分内容父母可以考虑自己孩子的年龄，以及孩子对性知识的了解程度后再选择阅读讨论。不过这部分内容也是不可回避的。

关于性行为的定义比较复杂，可参考最后一章图书推荐中《性心理学》一书。

4. 如何使用这本书？

本书适合的阅读人群

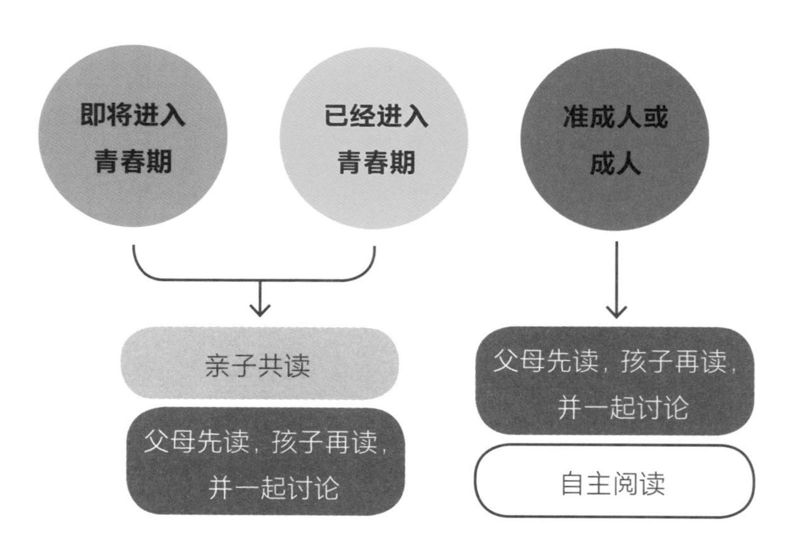

建议主要以家庭为单位阅读这本书。爸爸妈妈首先自己要对性教育有所了解，然后再借助这本书以及其他书籍与孩子进行青春期的讨论。即使孩子已经长大成人，父母若能够了解书中的内容，也能增加对孩子的了解，有助于与孩子的沟通。

不提倡的使用方法

我们最不提倡的方式就是，把书偷偷放在孩子的书桌上，等待孩子自己去“学习”。父母的这一行为无疑是在无声地告诉孩子：“这是你自己的问题，我们不想和你讨论，请自学成才。”其实青春期教育中，性知识是一方面，性价值观是另一方面，而父母和孩子保持顺畅的沟通才是最重要的。只有保持沟通顺畅，孩子遇到问题时才愿意告诉父母，才会对父母保持信任。

如何使用这本书？

1 对亲子共读没有障碍的父母

最好由父母先阅读这本书，了解书中内容的深度。根据自己孩子对性知识的了解程度，在开始阅读前可以给孩子进行一些前期知识的补充，又或者在阅读的时候进行知识的补充。

2 对亲子共读有一定心理障碍的父母

虽然我们建议父母最好以开放自然的心态与孩子共读，但是的确有一些父母在进行青春期性教育之前没有和孩子进行过关于性知识的沟通。不过，至少现在是个不错的开始。

如果实在不想面对面沟通，可以在给孩子这本书时，在书上贴纸条留言："如果有任何疑问，欢迎和爸爸妈妈讨论。"这样做是在弥补前文所说的问题，至少让孩子知道，父母愿意和孩子讨论关于性的问题。

当然，父母自己仍然要做好心理准备，如果孩子真的拿着书来和你讨论，你是否可以（哪怕是强装）自然地与孩子分享自己的想法。

对于那些对性教育完全不了解的家长，建议阅读我们专门为性启蒙教育撰写的《给爸爸妈妈的儿童性教育指导书》，可以更加全面地了解性教育。

4.1 如何交流难以开口的问题?

请父母先想一想，为什么开不了口

1 父母本身对性教育有误解

成人对性教育的误解有很多种，最常见的有：认为性教育等同于性行为的教育，所以感到难以启齿。这与成人的成长环境有关。如果父母是在一个性压抑或者回避性教育的环境中长大，就会对性有负面的印象。

国内对性教育正逐渐重视，对待性的观念也在逐渐改变。性教育不只是对“对性行为感兴趣的人”才要进行的教育，性教育是家庭教育和学校教育中不可缺少的方面，性教育的理念与方法和其他教育是一致的。

2 父母对性知识了解不够

还有一些父母虽然对性教育没有太多负面的认知，但因为自己不太了解性知识和性教育的方法，所以不知道如何着手。有这种情况的父母需要全面了解性教育，而不是急于求成地“头疼医头，脚痛医脚”。

性知识需要传递给孩子是因为孩子一定会遇到这些问题，所以父母只要实事求是地讲即可，不需要任何技巧，唯一要注意的是父母要坦诚。即使有说错的时候也没关系，当我们知道正确答案时再及时纠正就可以了。如果父母有不懂的地方，也可以直接告诉孩子自己不知道，可以一起寻找答案。我们要做的只是不让孩子独自困惑，不要从不正规的渠道“掌握”错误的知识与观点。

3 父母与孩子缺乏沟通

这种情况是指，父母与孩子不只是缺少性教育的沟通，而是几乎没有任何沟通。在一些家庭中，父母与孩子缺乏共同语言，随着孩子的成长，慢慢可以交流的内容只有学习与日常生活。这时候的问题就不只是性教育或青春期性教育的问题了。与性教育相比，如何重新建立与孩子的沟通才是首要任务。任何教育都是建立在可沟通的前提下的，若无法沟通，突兀地开始性教育并不是好主意，不过性教育也许可以成为亲子关系破冰的入口——以这本轻松有趣的书作为交流的契机，或许是不错的选择。

父母如何开口，从这几点入手

1. 耐心学习性教育，自己首先对性教育有科学的认知，知道性教育是怎么回事，理解性教育的方法。

2. 父母之间可以先一起讨论各自对性教育的看法，不断尝试谈论彼此的性价值观。对于性观念有分歧的部分，父母可以讨论在性教育过程中到底传递给孩子怎样的观念。

3. 对一些实在难以启齿的字眼，需要多加练习，努力克服心理障碍，讲多了就会变得自然。

4. 不要担心与孩子谈论时自己的表现。孩子有可能比你懂得还多，又或者什么都不懂。但无论哪种情况，孩子都不会因为你与他开始谈论性知识而对你有什么负面看法。

曾经有位妈妈也不敢和儿子讨论与性有关的话题，但是当她勇敢尝试后发现，并没有自己想象得那么尴尬。只要自己自然表达，孩子也能自然看待。

本书中最难开口的问题

青春期的时间跨度很长，大概长达 10 年。到底孩子几岁时一定要了解哪些内容，了解到什么程度，因人而异。但无论孩子处于哪个年龄段，父母觉得最难以启齿的一定是有关性交的内容。本书没有回避这个问题，从各个角度讨论了和性交有关的问题。

中国疾病预防控制中心性病艾滋病预防控制中心公布的数据显示，我国 15~24 岁的青年学生艾滋病的感染率呈上升趋势，每年报告新发现病例约 3000 例。讲清楚性是怎么回事，不回避性教育中的性行为部分，做好安全性行为的教育，对孩子来说刻不容缓。

4.2 本书以外可以展开的内容

作为一本趣味性教育科普书，这本书涵盖的内容有限，有一些问题没有在书中讨论或者展开。

如何看待早恋？

在父母看来，早恋之所以是问题，主要是因为父母认为早恋牵扯精力、耽误学习，其次父母可能还会担心早恋会导致孩子过早初尝禁果。

不过，到底多少岁恋爱是早恋其实每个父母心中的标准并不相同。有的父母甚至认为大学毕业以后才能谈恋爱，甚至觉得毕业恋爱结婚应一条龙式地顺利完成。

我们认为任何年纪的恋爱都是要被尊重的，因为爱是人类最美好的情感。越是年纪小的爱情越需要家长给予耐心的保护，这是因为越是年纪小，爱的感受越纯粹，但对爱与责任之间的关系思考越少。

因此，父母在保护这种珍贵感情的同时，要和孩子讨论如何对待自己所爱之人、恋爱与学习之间的关系是什么，以及在必要的时候，强调如何进行安全的性行为。如果说什么时候叫做“必要的时候”，这需要父母对孩子的认知水平及行为方式进行预判，在孩子可以接受这个话题时进行讨论。当然也可以借由本书的阅读，展开这个话题。

如何看待美？

这个问题对于青春期的孩子来说是很重要的话题。

一方面，青春期的孩子身体会发育变化。女孩发育一般早于男孩，尤其对那些发育较早的女孩来说，身体的变化经常带来自卑心理。很多女孩在青春期养成了含胸驼背的习惯。另一方面，因为对异性逐渐产生好奇心，也会对自己的外在美格外在意。

对男孩来说也是如此。虽然男孩发育稍晚，但是男孩会有长胡须、变声等身体上的变化。在对待异性以及如何看待异性的问题上，父母最好能参与讨论。

这些讨论并不是像上课一样，一定是正式地就某一个话题的严肃讨论，而是可以借着某本书、某个事件展开。不同年纪与经历的人对“什么是美”这个话题会有不同的看法，因此在父母与孩子共同讨论时，可以增加彼此的了解，建立更多亲子间的理解与信任。这是性教育过程中非常可贵的“副产品”。相信每个家庭都会有属于自己的讨论与思考。

如何看待每个人的不同与相同？

一些父母希望通过性教育改变孩子的性取向，或者认为性教育可以避免孩子成为非异性恋者，这种看法本身是对性取向存在误解。性取向是先天和后天共同作用的结果。

在看待非异性恋群体的问题上，人们的看法是随着了解性取向产生的原因而逐渐发生变化的。最初人们认为非异性恋是一种精神疾病，甚至是一种罪行。著名数学家、密码学家图灵就因为其同性性行为而被判罪，最后被迫害致死。

如今人们对性取向有了更加科学的认知，从而对其态度也发生了改变。如何看待性取向问题，也意味着如何看待每个人的不同与相同。坚持自己的独特性是现代社会越来越强调的特质。与此同时，如何让自己独特的一面与世界和平相处，这也是成长中会遭遇的烦恼。因此，这个内容也是青春期父母需要与孩子交流的一大主题。

4.3 书本以外也可以进行青春期性教育

任何身边发生的事、新闻事件、电影电视或者小说中的情节都可以作为青春期性教育的探讨素材

性教育是生活中的教育，因此包括青春期教育在内，最好的方式就是通过生活中的素材来学习。书本是帮助学习了解的手段之一，但不要依赖书本。

一些电影或者小说在考虑其内容分级以后，其中涉及与性教育相关的问题都可以拿来讨论。然而在具体操作上，我们并不希望把性教育的内容单独提出来讨论，而是希望家庭可以保持一种对任何话题都可以无障碍交流的氛围，可以将性教育的部分融入到日常的交流中。我们并不希望性教育被特别看待，因为这种特殊化反而会把性异化起来。

性对人类来说是一件自然的事情。性发育是每个人都会经历的过程，这就像出生以后每个人都会站立行走一样。只有当性不再神秘，性压抑以及与性相关的问题才不会成为问题。

5. 相关图书推荐

这本指导手册的内容主要参考了《给爸爸妈妈的儿童性教育指导书》（明白小学堂著绘，2019 年，中信出版社）。这本书围绕儿童性启蒙教育，系统阐述了性教育的原理和方法。本指导手册的主要观点来自于这本书。

此外，关于青春期的一些数据主要来自于《孩子的世界：从婴儿期到青春期》（第 11 版）（戴安娜 · 帕拉拉等著，2014 年，人民邮电出版社），以及《性心理学》（第 8 版）（格雷 · F. 凯利著，2011 年，上海人民出版社）。

《家庭性教育 16 讲》（方刚著，2018 年，社会科学出版社）中的观点也给予了写作时的启发。

关于青春期的图书，还可以阅读《女孩指南：动感青春期 50 课》（玛拉瓦 · 易卜拉欣文，西内姆 · 埃尔卡什图，2019 年，甘肃少年儿童出版社），以及《纽约时报》畅销书系列中适合青春期以上的孩子的 *It's Perfectly Normal: Changing Bodies, Growing Up, Sex, and Sexual Health*。同样希望家长在给孩子阅读前，先自己阅读，了解书中内容，尤其是性价值观部分。

本指导手册需要配合

《明明白白我的性》

共同使用

《给爸爸妈妈的青春期性教育指导手册》

文字撰写 图文制作：陈瑶 @ 夏日星